Special Training

스티브 잡스
스탠포드 졸업축사
발음 교정 훈련

contents

이 책의 활용법 3
Unit 01 강세와 리듬 4
Unit 02 자주 나오는 발음 규칙 17선 5
Unit 03 스티브 잡스 졸업축사 원문 8
Unit 04 훈련 자료 20

➡ 1 주차 : 인생의 시작 20
➡ 2 주차 : 내면의 소리 31
➡ 3 주차 : 인생의 전환점 44
➡ 4 주차 : 상실의 경험 54
➡ 5 주차 : 사랑과 신념 66
➡ 6 주차 : 죽음의 교훈 80
➡ 7 주차 : 직관을 따르며 98
➡ 8 주차 : 늘 갈망하며 107

이 책의 활용법

STEP 01 청취는 키워드부터

영어청취를 할 때 한국인의 큰 문제점은 모든 단어를 하나도 놓치지 않고 들으려는 어설픈 완벽주의 성격입니다. 토씨 하나도 놓치고 싶지 않은 마음은 이해하지만 영어는 키워드만 듣고도 이해할 수 있습니다. 영어는 한국어와 달리 중요한 키워드만 강하게 발음되기 때문이죠. 지나친 욕심으로 아무것도 듣지 못하는 대신 중요한 단어만 골라 들으세요. 키워드가 머릿속에 들어오면 내용파악은 한결 쉬워집니다.

STEP 02 발음현상, 아는 만큼 들린다.

키워드를 듣고 보니 무슨 말인지 대충은 알겠는데 잘 모르겠다고요? 그렇다고 너무 좌절할 필요는 없습니다. 영어를 빨리 말하려다 보면 좀 더 편하게 말하기 위해 여러 가지 발음현상이 자연스럽게 생겨납니다. 그 발음현상들을 이해하고 비슷한 패턴을 가진 문장들로 반복 훈련하면 결코 안 들리는 발음은 없습니다.

STEP 03 덩어리로 들으면 청취력 급상승

긴 문장을 한 번에 들으려 하면 한두 개는 건지고 나머지는 눈 깜짝할 사이에 지나가 버립니다. 이제부터는 소리단위, 의미단위 별로 나누어 들으세요. 영어는 중요한 단어를 중심으로 2~3단어씩 뭉쳐서 발음됩니다. 이것을 '덩어리(Chunk) 발음'이라고 부릅니다. 원어민의 음성을 들으면서 어느 부분이 뭉쳐져서 발음되는지 분석해 봅니다.

STEP 04 큰소리로 따라 읽으며 마무리

문장을 덩어리 단위로 따라 읽으면서 리듬 감각을 몸에 익히세요. 리듬을 타면 탈수록 영어가 잘 들립니다. 한 문장을 3~4개의 덩어리로 자연스럽게 발음할 수 있을 때까지 훈련하면 영어청취 정복은 단지 시간문제일 뿐! 이제 남은 것은 실천뿐입니다!

★ 저자가 직접 강의하는 무료 동영상 강의와 함께 학습하세요.
대한민국 국내파 영어연수 - http://cafe.daum.net/englishmento

Unit 01 강세와 리듬

내용어 (Content Words)	기능어 (Function Words)
1. 명사	1. 관사
2. 동사(일반동사)	2. 전치사
3. 형용사	3. 인칭대명사
4. 부사	4. 소유격
5. 의문사	5. 관계대명사
6. 지시대명사	6. 접속사
	7. be동사, 조동사

영어는 밋밋한 한국어와 달리 강세의 유무에 따라 규칙적인 리듬이 있습니다. 문장 내에서 내용어는 강세를 받지만 기능어에는 강세가 오지 않습니다. 내용어는 의미를 전달하는 단어이고 기능어는 문법적 역할만 합니다. 기능어들은 앞뒤의 내용어들과 뒤엉켜 여러 가지 발음변화를 일으키기 때문에 한국인이 청취에 어려움을 겪습니다. 모든 음절을 또박 또박 끊어서 읽는 한국어와 소리체계가 완전히 다르기 때문입니다. 따라서 강세가 오는 곳은 강하게, 그렇지 않은 곳은 약하고 빠르게 읽는 훈련을 하는 습관을 들이면 영어청취가 한결 수월해집니다.

영어에서는 2음절 이상의 모든 단어에 강세가 있습니다. 한 단어 안에서도 강음절과 약음절이 존재하지만 문장 안에서도 강하고 길게 발음하는 단어와 약하고 짧게 발음하는 단어가 따로 있습니다. 영어는 강세를 중심으로 강약의 리듬을 형성하므로 철저히 훈련해서 리듬을 체화시켜야 합니다.

★ 예문으로 보는 영어의 리듬

SHE **TOLD** YOU TO **GET** IT.
WE **PLANNED** FOR IT FOR **LATER**.
THAT'S THE **BEST** OF **ALL**.

Unit 02 자주 나오는 발음 규칙 17선

01 동일 발음 중복 생략 현상

같은 자음이 연속으로 중복될 때 편의상 앞자음은 생략하고 뒷자음만 발음한다.

shoul(d) do	hal(f) full	su(m)mer	wan(t) to	nex(t) time
[슈두]	[해풀]	[써머]	[원투]	[넥스타임]

02 혀 위치 동일한 발음 중복 시 생략 현상

혀끝을 앞니 뒤 잇몸에 붙이는 위치가 동일한 발음 [l/n/d/t]가 겹치면 약음절에 속하는 자음을 생략하고 발음한다.

in(t)ernet	name(d) next	bran(d)	las(t) day	tol(d) me
[이너넷]	[네임넥슽]	[브랜]	[래스데이]	[토울미]

03 조음 위치 유사자음 중복 시 자음 생략 현상

발음은 다르지만 발성위치가 유사한 발음이 중복될 때 앞 자음을 생략하고 발음한다.

mon(th)s	frien(d)s	bo(th) seem	bir(th)day	thi(s) show
[먼쓰]	[프렌즈]	[보우씸]	[버어데이]	[디쇼우]

04 끝자음과 첫자음이 만날 경우 생략 현상

앞단어의 끝자음과 뒷단어의 첫자음이 만날 때 앞단어의 끝자음은 약화되어 잘 발음하지 않는다.

woul(d) kill	a(ll) right	shoul(d) see	mus(t) be	tha(t) coul(d) me
[워킬]	[오라잍]	[슈씨]	[머스비]	[대크미]

05 삼중자음의 중간자음 생략 현상

자음이 연속으로 3개가 겹치면 중간자음은 편의상 발음하지 않고 생략한다.

than(k)s	em(p)ty	exac(t)ly	drin(k)s	jus(t) now
[땡스]	[엠티]	[익재끌리]	[드륀스]	[줘스나우]

06 끝자음과 첫자음의 연음 현상

단어의 끝자음과 첫모음이 만나면 연음되면서 새로운 음절이 만들어진다.

take it easy	wrap it up	give it	with us	move on
[테이낄 이지]	[뤠삐럽]	[기빝]	[위더스]	[므번]

07 멈춤 t/d 와 콧소리 n 현상

강세가 없는 음절에 속하는 [t/d] 다음에 [n]이 오면 혀끝을 윗잇몸에 붙인 상태로 두고 호흡을 멈추고 콧소리로 [n]을 발음한다. 동일한 혀 위치 발음이므로 혀를 떼지 않고 편하게 발음하기 위한 현상이다.

certain	sudden	mountain	button	importan(t)	student
[썰은]	[섣은]	[마운은]	[벋은]	[임폴은]	[스튣은]

08 끝자음 받침소리 현상

단어의 끝이 자음으로 끝날 때 자음의 소리가 입 밖으로 발성되지 않고 음절의 받침으로 발음한다.

did	limited	would	stop	like	keep	love
[딛]	[리미릳]	[윋]	[스땁]	[라익]	[킵]	[럽]

09 [sp/sk/st]의 경음화 현상

[sp/sk/st]는 거칠게 파열되지 않고 된소리로 경음화된다.

sky	skate	story	steak	spell	sting
[스까이]	[스께잍]	[스또뤼]	[스떼익]	[스뻴]	[스띵]

10 약음절에서 [p/t/k] 경음화 현상

강세가 없는 약음절에서 [p/t/k]는 [ㅃ/ㄸ/ㄲ]처럼 된소리로 경음화된다.

apple	people	tasting	paper	looking	example
[애쁠]	[피쁠]	[테이스띵]	[페이뻐]	[루낑]	[익잼쁠]

11 이중모음 두 번째 모음 약화 현상

이중모음은 첫 번째 모음을 강하게, 나머지는 생략하듯 짧게 발음하는 경향이 있다.

I'm [a:m] [암]   while I [wa:lai] [와라이]   out of [a(u)rə] [아우러]
go [go:] [고우]   again [age:n] [어겐]   our [a:r] [아]

12 약음절 모음 약화 현상

강세가 없는 음절의 모든 모음은 약화되거나 탈락되어 거의 발음되지 않는다.

actually [aektʃuli] [액철리]   chocolate [tʃɑklit] [촤끌릿]   average [aevrdʒ] [애브리쥐]

different [difrnt] [딥른트]   diamond [daimnd] [다이몬]   camera [kæmrə] [캠뭐]

13 약음절에서 [h/ð] 탈락 현상

강세가 없는 약음절에서 모음 앞의 [h/ð]는 자주 탈락된다.

give (h)im [기븜]   does (h)e [더지]   love (h)er [러버]   get (th)em [게름]   see (th)em [씨엄]

14 약모음 앞 음절 연음 현상

첫음절이 약모음(Schwa)일 때 첫음절의 약모음은 앞단어에 붙여서 발음한다.

think about [θiŋkə baut] [띵꺼 바웃]
stick around [stikə raund] [스띠꺼 라운]
run away [rʌnə wei] [뤄너 웨이]
feel ashamed [fi:lə ʃeimd] [필어 쉐임]
side effect [saidə fekt] [싸이러 펙]

15 약음절 [r] 탈락 현상

약음절의 [r+모음]은 [(r) + ə] → [ə]와 같이 [r] 발음은 생략되고 모음은 약화된다.

secretary [sekriteri → sekəteri] [쎄크테리]   February [februeri → febəeri] [페브어리]
Maryland [maerələnd → maeələnd] [메어런]   prefer [prifər → pəfər] [퍼풔]
temperature [tempərətʃər → témpətʃər] [템프쳐]   pretty [priti → pəri] [퍼리]

16 Dark L [ə] 첨가 현상

단어의 끝이나 끝자음 앞에 오는 [l]은 약모음 [ə]를 넣어서 발음한다. 끝자음 앞의 [l]의 경우 혀끝은 잇몸에 완전히 붙이지 않고 다음 자음으로 넘어간다.

feel [fi:i → fi:əl] [삐얼]   help [help → heə(l)p] [헤읍]   film [fiə(l)m] [퓌엄]
milk [mi(l)ək] [미억]   fail [feiəl] [페얼]   people [pi:pəl] [피쁠]   apple [æpəl] [애뻘]

17 약음절의 [d/t/rd/rt] 플랩 현상

강모음와 약모음 사이에 올 때 약음절에 속하는 [d/t/rd/rt]는 혀끝이 윗잇몸을 부드럽게 스치는 플랩사운드가 된다.

body [바리]   water [워러]   letter [레러]   harder [하러]
party [파뤼]   murder [머러]   artist [아리슷]   dirty [더리]

Unit 03 스티브 잡스 졸업 축사 원문

Steve Jobs' Stanford Commencement Address

I'm honored to be with you today for your commencement from one of the finest universities in the world. Truth be told, I never graduated from college and this is the closest I've ever gotten to a college graduation. Today I want to tell you three stories from my life. That's it. No big deal. Just three stories.

The first story is about connecting the dots. I dropped out of Reed College after the first 6 months but then stayed around as a drop-in for another 18 months or so before I really quit. So why did I drop out?

It started before I was born. My biological mother was a young, unwed graduate student, and she decided to put me up for adoption. She felt very strongly that I should be adopted by college graduates, so everything was all set for me to be adopted at birth by a lawyer and his wife. Except that when I popped out, they decided at the last minute that they really wanted a girl. So my parents, who were on a waiting list, got a call in the middle of the night asking, "We've got an unexpected baby boy. Do you want him?" They said: "Of course."

My biological mother found out later that my mother had never graduated from college and that my father had never graduated from high school. She refused to sign the final adoption papers. She only relented a few months later when my parents promised that I would go to college. This was the start in my life.

And 17 years later, I did go to college. But I naively chose a college that was almost as expensive as Stanford, and all of my working-class parents' savings were being spent on my college tuition. After six months, I couldn't see the value in it.

스티브 잡스 스탠포드 졸업축사 한글 전문

저는 오늘 세계 최고 명문대학 중 하나인 스탠포드 대학의 학위수여식에 함께하게 되어 영광입니다. 솔직히 말씀드리면, 저는 대학을 졸업하지 못했습니다. 지금이 제가 대학 졸업식에 가장 가까이 와 본 것입니다. 오늘 저는 여러분께 제 인생에 관한 세 가지 이야기를 들려드리려고 합니다. 그게 전부입니다. 거창한 것은 아니고요, 딱 세 가지만 말씀드리겠습니다.

첫 번째 이야기는 인생의 전환점에 관한 것입니다. 저는 리드칼리지를 6개월간 다니다가 자퇴했습니다. 하지만 학교를 진짜로 그만두기 전까지 18개월 정도를 청강생으로 학교에 더 머물렀습니다. 제가 왜 자퇴를 했을까요?

이야기는 제가 태어나기 전부터 시작됩니다. 저의 생모는 미혼의 어린 대학원생이었기 때문에 저를 입양 보내기로 결정했죠. 그녀는 제 미래를 생각해 대학 정도는 졸업한 교양 있는 사람이 양부모가 되기를 원했습니다. 그래서 저는 태어나자마자 변호사 가정에 입양되도록 모든 게 준비되어 있었습니다. 제가 태어나던 마지막 순간에 변호사 부부가 여자아이를 입양하기 원한다고 결정한 것만 제외하고 말이죠. 대기자 명단에 이름이 올라있던 제 양부모님은 한밤중에 이런 전화를 받게 됩니다. "예상치 못한 남자아이가 생겼습니다. 입양하시겠습니까?" 양부모님은 대답하셨습니다. "물론이죠."

나중에 제 생모는 저를 입양하기로 한 어머니가 대학을 졸업하지 않았다는 것과 아버지는 고등학교조차 나오지 못했다는 사실을 알게 되었습니다. 생모는 최종 입양 서류에 서명하는 것을 거부했습니다. 몇 달 후에 저를 대학에 보내겠다는 약속을 양부모로부터 받아낸 뒤에야 생모는 마음이 누그러졌습니다. 이것이 제 인생의 시작이었습니다.

그리고 17년 후 저는 정말로 대학에 진학했습니다. 그러나 순진하게도 저는 이곳 스탠포드 대학만큼이나 등록금이 비싼 대학을 선택했고, 노동자층이셨던 저의 양부모님이 저축한 돈 전부가 제 등록금으로 사용되었습니다. 6개월 후, 저는 대학 다니는 일이 가치가 없다고 생각했습니다.

I had no idea what I wanted to do with my life and no idea how college was going to help me figure it out. And here I was spending all of the money my parents had saved their entire life. So I decided to drop out and trust that it would all work out OK. It was pretty scary at the time, but looking back it was one of the best decisions I've ever made. The minute I dropped out, I could stop taking the required classes that didn't interest me, and begin dropping in on the ones that looked far more interesting.

It wasn't all romantic. I didn't have a dorm room, so I slept on the floor in friends' rooms. I returned coke bottles for the 5 ¢ deposits to buy food with. And I would walk the 7 miles across town every Sunday night to get one good meal a week at the Hare Krishna temple. I loved it. And much of what I stumbled into by following my curiosity and intuition turned out to be priceless later on. Let me give you one example.

Reed College at that time offered perhaps the best calligraphy instruction in the country. Throughout the campus, every poster, every label on every drawer was beautifully hand-calligraphed. Because I had dropped out and didn't have to take the normal classes, I decided to take a calligraphy class to learn how to do this. I learned about serif and san-serif typefaces, about varying the amount of space between different letter combinations, about what makes great typography great. It was beautiful, historical, artistically subtle in a way that science can't capture, and I found it fascinating.

None of this had even a hope of any practical application in my life. But ten years later, when we were designing the first Macintosh computer, it all came back to me, and we designed it all into the Mac. It was the first computer with beautiful typography. If I had never dropped in on that single course in college, the Mac would have never had multiple typefaces or proportionally spaced fonts. And since Windows just copied the Mac, it's likely that no personal computer would have them.

If I had never dropped out, I would have never dropped in on that calligraphy class, and personal computers might not have the wonderful typography that they do. Of course, it was impossible to connect the dots looking forward when I was in college. But it was very, very clear looking backwards ten years later.

저는 제 자신이 어떤 삶을 원하는지 몰랐고, 또 대학이 그것을 알아내는 데 어떤 도움을 줄지도 알 수 없었습니다. 게다가 양부모님이 평생 모은 재산이 전부 제 학비로 들어가고 있었습니다. 그래서 자퇴하기로 결심했고, 모든 일이 잘될 거라 믿기로 했습니다. 그 당시에는 두려웠었지만, 지금 돌이켜보면 제가 내렸던 최고의 결정 중 하나였습니다. 자퇴한 순간부터는 흥미 없던 필수과목을 수강하지 않아도 되었고, 훨씬 더 재미있어 보이는 강의를 청강하기 시작했습니다.

그렇다고 낭만적이진 않았습니다. 기숙사 방이 없어서 친구들의 기숙사 마룻바닥에서 잠을 잤고, 한 병당 5센트 하는 콜라 빈 병을 팔아서 먹을 것을 사기도 했습니다. 또 매주 일요일, 한 번이라도 제대로 된 음식을 먹기 위해 7마일이나 걸어서 하레 크리슈나 사원의 예배에 참석하기도 했습니다. 맛있더군요. 당시 순전히 호기심과 직감만을 믿고 저지른 일들이 후에 정말 값진 경험이 됐습니다. 예를 하나 들어보겠습니다.

그 당시 리드칼리지에는 아마도 미국 최고의 서체 강좌가 있었습니다. 캠퍼스 곳곳에 붙은 포스터, 모든 서랍의 라벨들은 매우 아름다운 손글씨체로 적혀 있었습니다. 저는 자퇴를 해서 정규과목을 들을 필요가 없었기 때문에 서체를 배우기 위해 서체 강좌를 수강하기로 마음먹었습니다. 삐침이 있는 글꼴과 없는 글꼴에 대해 배웠고, 서로 다른 문자조합들의 간격을 다양하게 조절하는 법도 배웠고, 무엇이 서체를 위대하게 만드는지 배웠습니다. 그것은 과학으로는 표현할 수 없는 아름답고 역사적이고 예술적으로 정교한 것이었죠. 저는 그것에 매료되었습니다.

이런 것 중 어느 하나도 제 인생에 실제로 활용될 것 같지는 않았습니다. 그러나 10년 후 우리가 최초의 매킨토시를 설계할 때, 그것은 고스란히 빛을 발했습니다. 우리는 매킨토시에 그 기능을 모두 담아서 설계했습니다. 맥은 아름다운 서체를 가진 최초의 컴퓨터였습니다. 만약 제가 그 서체 수업을 듣지 않았다면 매킨토시의 복수서체 기능이나 자동 자간 맞춤 기능은 없었을 것이고 윈도우가 맥을 따라했기 때문에 결국 개인용 컴퓨터에는 이런 기능이 탑재될 수 없었을 겁니다.

만약 학교를 자퇴하지 않았다면, 서체 수업을 듣지 못했을 것이고 결국 개인용 컴퓨터가 오늘날처럼 뛰어난 글씨체들을 가질 수도 없었을 겁니다. 물론 제가 대학을 다닐 때에는 미래를 보면서 점들을 연결하는 것이 불가능했습니다. 하지만 10년이 지난 후에 되돌아보니 너무나 분명하게 보였습니다.

Again, you can't connect the dots looking forward. You can only connect them looking backwards, so you have to trust that the dots will somehow connect in your future. You have to trust in something: your gut, destiny, life, karma, whatever. Because believing the dots will connect down the road will give you the confidence to follow your heart even when it leads you off the well-worn path, and that will make all the difference.

My second story is about love and loss. I was lucky. I found what I loved to do early in life. Woz and I started Apple in my parents garage when I was 20. We worked hard, and in 10 years Apple had grown from just the two of us in a garage into a $2 billion company with over 4,000 employees. We'd just released our finest creation, the Macintosh, a year earlier, and I'd just turned 30. And then I got fired. How can you get fired from a company you started?

Well, as Apple grew, we hired someone who I thought was very talented to run the company with me. And for the first year or so, things went well. But then our visions of the future began to diverge, and eventually we had a falling out. When we did, our Board of Directors sided with him. And so at 30, I was out and very publicly out. What had been the focus of my entire adult life was gone, and it was devastating.

I really didn't know what to do for a few months. I felt that I had let the previous generation of entrepreneurs down, that I had dropped the baton as it was being passed to me. I met with David Packard and Bob Noyce and tried to apologize for screwing up so badly. I was a very public failure, and I even thought about running away from the valley.

But something slowly began to dawn on me. I still loved what I did. The turn of events at Apple had not changed that one bit. I'd been rejected, but I was still in love. And so I decided to start over.

다시 말씀드리지만, 미래를 내다보면서 점들을 연결할 수 없습니다. 그저 과거를 되돌아보며 점들을 연결할 수 있을 뿐입니다. 그러므로 여러분은 현재의 순간들이 미래에 어떻게든 연결되어 이어질 것이라는 걸 믿어야만 합니다. 여러분은 자신의 배짱, 운명, 인생, 인연 등 무엇이든지 간에 그 무언가에 믿음을 가져야만 합니다. 왜냐면 인생의 크고 작은 일들이 미래에 연결될 거라는 믿음이 여러분이 자신의 마음을 따르도록 하는 자신감을 줄 것이기 때문입니다. 심지어는 그것이 여러분을 잘 닦여진 길에서 벗어나는 쪽으로 인도한다 할지라도 말입니다. 그리고 그건 아주 큰 차이를 낳게 될 것입니다.

저의 두 번째 이야기는 사랑과 상실에 관한 것입니다. 저는 운이 좋았습니다. 일찍이 인생에서 하고 싶은 일을 발견했으니까요. 워즈와 저는 20살 때 부모님의 차고에서 애플이라는 회사를 시작했습니다. 우리는 열심히 일했고, 차고에서 2명으로 시작한 애플은 10년 후에 4,000명이 넘는 직원을 거느린 20억 달러 규모의 기업이 되었습니다. 제 나이 29살, 우리는 최고의 작품인 매킨토시를 출시했습니다. 그러나 이듬해 저는 해고당했습니다. 어떻게 자신이 세운 회사에서 해고될 수 있을까요?

애플이 성장하면서 우리는 저와 함께 회사를 경영할 매우 유능해 보이는 사람을 채용했습니다. 첫 1년 정도는 모든 게 순조로웠습니다. 하지만 그 후 우리의 미래에 대한 비전은 서로 엇갈리기 시작했고, 결국 우리 둘 사이에 불화가 생겼습니다. 우리가 갈라서자, 회사의 이사진들은 그의 편을 들었습니다. 그래서 전 나이 30세에 쫓겨났습니다. 그것도 아주 공개적으로 말입니다. 제 인생의 중심이 되었던 전부가 사라져 버렸고, 뭐라 말할 수 없는 참담한 심정이었습니다.

몇 개월 동안 뭘 해야 할지 몰랐습니다. 선배 벤처기업인을 실망시켰다는 마음이 들었고, 바통이 제게 전달되는 순간에 제가 그 바통을 떨어뜨렸다는 생각이 들었습니다. 저는 데이비드 패커드(HP 창업자)와 밥 노이스(Intel 창업자)를 만나 일을 그토록 엉망으로 만든 것에 대해 사과하려고 했습니다. 저는 '공공의 실패자'였고, 실리콘 밸리에서 도망치고 싶었습니다.

그러나 제 마음 속에서 무언가가 천천히 다시 떠오르기 시작했습니다. 저는 아직도 제가 하던 일을 사랑하고 있었습니다. 애플에서 겪었던 일조차도 그런 마음을 꺾지 못했습니다. 저는 해고당했지만 여전히 일에 대한 사랑에 빠져있었습니다. 그래서 저는 다시 시작하기로 결심했습니다.

I didn't see it then, but it turned out that getting fired from Apple was the best thing that could have ever happened to me. The heaviness of being successful was replaced by the lightness of being a beginner again, less sure about everything. It freed me to enter one of the most creative periods in my life.

During the next five years, I started a company named NeXT, another company named Pixar, and fell in love with an amazing woman who would become my wife. Pixar went on to create the world's first computer animated feature film, Toy Story, and is now the most successful animation studio in the world. In a remarkable turn of events, Apple bought NeXT, and I returned to Apple, and the technology we developed at NeXT is at the heart of Apple's current renaissance. And Laurene and I have a wonderful family together.

I'm pretty sure none of this would have happened if I hadn't been fired from Apple. It was awful tasting medicine, but I guess the patient needed it. Sometimes life's going to hit you in the head with a brick. Don't lose faith. I'm convinced that the only thing that kept me going was that I loved what I did. You've got to find what you love. And that is as true for work as it is for your lovers.

Your work is going to fill a large part of your life, and the only way to be truly satisfied is to do what you believe is great work. And the only way to do great work is to love what you do. If you haven't found it yet, keep looking and don't settle. As with all matters of the heart, you'll know when you find it. And like any great relationship, it just gets better and better as the years roll on. So keep looking. Don't settle.

My third story is about death. When I was 17, I read a quote that went something like, "If you live each day as if it was your last, someday you'll most certainly be right." It made an impression on me, and since then, for the past 33 years, I have looked in the mirror every morning and asked myself, "If today were the last day of my life, would I want to do what I am about to do today?" And whenever the answer has been "No" for too many days in a row, I know I need to change something.

당시에는 몰랐지만, 애플에서 해고당한 것은 제 인생 최고의 사건임을 깨닫게 됐습니다. 성공에 대한 부담감은 다시 초심자의 홀가분한 마음으로 바뀌었고, 모든 것에 대해 조금 덜 확신하게 되었습니다. 그것은 제 인생에서 최고의 창의력을 발휘하는 시기로 들어갈 수 있도록 저를 자유롭게 해주었습니다.

그 후 5년 동안 저는 '넥스트'와 '픽사'라는 회사를 차렸고, 훗날 제 아내가 될 굉장한 여자를 만나 사랑에 빠졌습니다. 픽사는 세계 최초의 3D 애니메이션 '토이 스토리'를 시작으로, 지금은 가장 성공한 애니메이션 제작사가 되었습니다. 놀랄만한 반전으로, 애플은 넥스트를 인수했고, 저는 애플로 복귀했습니다. 그리고 넥스트에서 개발했던 기술은 오늘날 애플의 부흥을 이룬 핵심이 되었습니다. 그리고 로렌과 저는 멋진 가정을 꾸리고 있습니다.

애플에서 해고되지 않았더라면 이런 어떤 일도 생기지 않았을 것이라는 확신이 듭니다. 정말 지독하게 쓴 약이었지만, 그것이 필요한 환자도 있는 것 같습니다. 때로는 벽돌로 뒤통수를 얻어맞는 시련도 있기 마련입니다. 신념을 잃지 마십시오. 계속해서 제가 앞으로 나가도록 해준 유일한 힘은 제가 하는 일을 사랑하는 데 있다고 확신합니다. 여러분은 여러분이 사랑하는 일을 찾아야 합니다. 그것은 사랑하는 사람을 찾는 것처럼 일에도 똑같이 진실해야 합니다.

'노동'은 여러분의 인생에서 많은 부분을 차지하게 될 것입니다. 그리고 진정으로 만족하는 유일한 방법은 스스로 위대하다고 믿는 일을 하는 것입니다. 그리고 위대한 일을 하는 유일한 방법은 자신이 하는 일을 사랑하는 것입니다. 만약 아직까지 찾지 못했다면 계속 찾으십시오. 안주하지 마십시오. 진심으로 원하는 일들이 모두 그런 것처럼 그것을 찾으면 알게 될 것입니다. 그리고 모든 훌륭한 관계가 그렇듯이 시간이 흐르면서 점점 더 좋아질 것입니다. 그러니 계속 찾으십시오. 안주하지 마십시오.

세 번째 이야기는 죽음에 관한 것입니다. 제가 17살 때 이런 구절을 읽은 적이 있습니다. "당신이 하루하루를 인생의 마지막 날인 것처럼 산다면, 언젠가는 당신은 옳은 사람이 될 것입니다." 그 말에 감동을 받고, 그때부터 지난 33년간 저는 매일 아침 거울을 들여다보며 제 자신에게 물었습니다. "만약 오늘이 내 인생의 마지막 날이라면, 오늘 내가 하려던 일을 하고 싶어 할까?" 그 대답이 계속해서 '아니요'일 때마다, 저는 무언가를 바꾸어야 한다는 걸 깨달았습니다.

Remembering that I'll be dead soon is the most important tool I've ever encountered to help me make the big choices in life. Because almost everything - all external expectations, all pride, all fear of embarrassment or failure - these things just fall away in the face of death, leaving only what is truly important. Remembering that you are going to die is the best way I know to avoid the trap of thinking you have something to lose. You are already naked. There is no reason not to follow your heart.

About a year ago, I was diagnosed with cancer. I had a scan at 7:30 in the morning, and it clearly showed a tumor on my pancreas. I didn't even know what a pancreas was. The doctors told me this was almost certainly a type of cancer that is incurable, and that I should expect to live no longer than three to six months. My doctor advised me to go home and get my affairs in order, which is doctors' code for "prepare to die." It means to try and tell your kids everything you thought you'd have the next 10 years to tell them in just a few months. It means to make sure everything is buttoned up so that it will be as easy as possible for your family. It means to say your goodbyes.

I lived with that diagnosis all day. Later that evening I had a biopsy, where they stuck an endoscope down my throat, through my stomach into my intestines, put a needle into my pancreas and got a few cells from the tumor. I was sedated, but my wife, who was there, told me that when they viewed the cells under a microscope the doctors started crying because it turned out to be a very rare form of pancreatic cancer that is curable with surgery. I had the surgery and thankfully, I'm fine now.

This was the closest I've been to facing death, and I hope it's the closest I get for a few more decades. Having lived through it, I can now say this to you with a bit more certainty than when death was a useful but purely intellectual concept. No one wants to die. Even people who want to go to heaven don't want to die to get there. And yet death is the destination we all share. No one has ever escaped it. And that is as it should be, because death is very likely the single best invention of Life.

인생의 큰 결정들을 내리도록 도와주는 가장 중요한 도구는 자신이 곧 죽을 것이라는 것을 기억하는 것입니다. 왜냐하면 외부로부터의 기대, 자존심, 수치심과 실패에 대한 두려움, 이 모든 것은 죽음 앞에서 떨어져나가고, 오직 진실로 중요한 것만이 남기 때문입니다. 자신이 죽는다는 것을 생각하는 것은 무언가 잃을 것이 있다고 생각하는 함정을 피하는 제가 아는 최고의 방법입니다. 여러분은 더 이상 잃을 것이 없습니다. 마음의 소리를 따르지 않을 이유가 없습니다.

약 1년 전에 저는 암 진단을 받았습니다. 아침 7시 반에 검사를 받았는데, 췌장에 종양이 명확하게 보였습니다. 저는 췌장이 뭔지도 몰랐습니다. 의사들은 치유가 거의 불가능한 종류의 암이라고 길어야 3개월에서 6개월 정도만 살 수 있다고 말했습니다. 제 주치의는 집으로 돌아가 주변을 정리하라고 했습니다. 그것은 죽음을 준비하라는 의사들의 신호입니다. 그것은 앞으로 10년간 아이들에게 들려줄 이야기를 몇 달 동안에 다 해야 한다는 것을 의미했습니다. 또한, 모든 일을 깔끔하게 마무리 지어서 가족들이 가능한 한 편안하게 보낼 수 있도록 하라는 것을 의미하기도 했습니다. 작별인사를 하라는 것이었습니다.

저는 그 진단을 받고 하루를 보냈습니다. 그리고 그날 늦게 조직검사를 받았습니다. 의사들은 내시경을 목 아래로 넣어 위와 장을 지나 췌장 안에 바늘을 찔러 넣었습니다. 그리고 종양에서 몇 개의 세포를 떼어냈습니다. 저는 마취상태였는데 그 자리에 같이 있었던 아내가 나중에 말해주더군요. 현미경으로 세포를 검사할 때 의사들이 기뻐서 눈물을 글썽였다고 합니다. 왜냐하면 치료가 가능한 아주 희귀한 췌장암으로 밝혀졌기 때문입니다. 저는 수술을 받았고 고맙게도 지금은 괜찮습니다.

이때가 제가 죽음을 가장 가까이 직면했던 때였습니다. 그리고 앞으로도 수십 년 간은 죽음에 그렇게 가까이 가고 싶지 않습니다. 죽음의 고비를 넘기고 나니, 죽음이 유용하긴 했지만 순전히 지적인 개념이었을 때보다 이제는 좀 더 확신을 갖고 말씀드릴 수 있습니다. 누구도 죽기를 바라지 않습니다. 천국에 가고 싶어 하는 사람들조차도 그곳에 가려고 죽기를 바라지는 않습니다. 그러나 죽음은 우리 모두가 공유하는 인생의 종착역입니다. 아무도 죽음을 피해가지 못했습니다. 그리고 그래야만 합니다. 왜냐하면 죽음은 삶이 만들어낸 최고의 발명품이기 때문이죠.

It's Life's change agent. It clears out the old to make way for the new. Right now the new is you, but someday not too long from now, you will gradually become the old and be cleared away. Sorry to be so dramatic, but it's quite true.

Your time is limited, so don't waste it living someone else's life. Don't be trapped by dogma, which is living with the results of other people's thinking. Don't let the noise of others' opinions drown out your own inner voice. And most important, have the courage to follow your heart and intuition. They somehow already know what you truly want to become. Everything else is secondary.

When I was young, there was an amazing publication called The Whole Earth Catalog, which was one of the bibles of my generation. It was created by a fellow named Stewart Brand not far from here in Menlo Park, and he brought it to life with his poetic touch. This was in the late 60's, before personal computers and desktop publishing, so it was all made with typewriters, scissors, and polaroid cameras. It was sort of like Google in paperback form 35 years before Google came along. It was idealistic, overflowing with neat tools and great notions.

Stewart and his team put out several issues of The Whole Earth Catalog, and then, when it had run its course, they put out a final issue. It was the mid-1970s, and I was your age. On the back cover of their final issue was a photograph of an early morning country road, the kind you might find yourself hitchhiking on if you were so adventurous. Beneath it were the words,

"Stay hungry, stay foolish."

It was their farewell message as they signed off.

"Stay hungry, stay foolish"

And I have always wished that for myself. And now, as you graduate to begin anew, I wish that for you.

"Stay hungry, stay foolish"

Thank you all very much.

죽음은 인생을 변화시킵니다. 죽음은 새로운 것이 들어설 수 있도록 옛것을 처분합니다. 지금 바로 새로운 존재는 여러분입니다. 하지만 머지않아 여러분도 새로운 세대들에게 그 자리를 물려줘야 할 것입니다. 너무 극단적으로 말씀드렸다면 죄송합니다. 하지만 그건 분명한 사실입니다.

여러분의 시간은 유한합니다. 그러므로 남의 인생을 사느라고 여러분의 시간을 낭비하지 마십시오. 다른 사람의 생각에서 나온 결론에 얽매여 사는 도그마에 빠지지 마십시오. 다른 사람의 의견에서 나온 잡음이 여러분 내면의 소리를 압도하도록 두지 마십시오. 그리고 가장 중요한 것은, 여러분의 마음과 직관을 따르는 용기를 갖는 것입니다. 그것은 여러분이 진정으로 원하는 것을 이미 잘 알고 있습니다. 그 외 모든 것은 부차적인 것입니다.

제가 어렸을 때, 제 나이 또래라면 다 알만한 권위 있는 책 중 하나였던 '지구백과'라는 출판물이 있었습니다. 여기서 그리 멀지 않은 먼로 파크에 사는 스튜어트 브랜드라는 사람이 쓴 책인데, 그는 자신의 시적인 기법으로 그 책에 생명을 불어 넣었습니다. PC나 데스크톱 출판이 존재하기 전인 1960년대 후반이었기 때문에 타자기, 가위, 폴라로이드 카메라를 이용해 만들어졌습니다. 그건 검색엔진 구글이 등장하기 35년 전의 일이었는데, 일종의 책 형태의 구글 같았습니다. 그 책은 이상적인 사고와 깔끔한 장치, 기발한 아이디어로 넘쳐흘렀습니다.

스튜어트와 그의 팀은 몇 번의 개정판을 내놓았고 책의 수명이 다할 때쯤 최종판을 내놓았습니다. 그때가 70년대 중반이었고 제가 여러분 나이 때였습니다. 최종호의 뒷면에는 이른 아침의 시골길 사진이 있었는데, 아마 모험을 좋아하는 사람이라면 히치하이크를 하고 싶다는 생각이 들지도 모를 그런 종류의 사진이었습니다. 그 사진 아래에 이런 문구가 있었습니다.

"늘 갈망하십시오, 우직하게 전진하십시오."

이것은 그들이 발행을 마치며 전하는 마지막 작별인사였습니다.

"늘 갈망하십시오, 우직하게 전진하십시오."

저는 제 자신이 항상 그렇게 살기를 바래왔습니다. 그리고 이제 졸업을 하고 새로운 시작을 하는 여러분을 위해 그것을 소망합니다.

"늘 갈망하십시오, 우직하게 전진하십시오."

감사합니다.

Unit 04 훈련 자료

01 주차 인생의 시작
저자 동영상 강의와 함께 학습하세요.

> I'm honored to be with you today for your commencement from one of the finest universities in the world.
>
> 먼저 세계 최고의 명문으로 꼽히는 이곳에서 여러분의 졸업식에 참석하게 된 것을 영광으로 생각합니다.

Chunk 발음분석

I'm **honored to** be with you to**day** [aim-ɑnər(d)-tu-bi-wiθ-ju-dudei]

for your co**mmencement** [fər-juər-kəmensmənt]

from **one** of the **finest universities** [frəm-wʌn-ə(v)-ðə-fainis(t)-ju:niv3:rsətiz]

in the **world** [in-ðə-w3:rld]

발음심화학습

▶ honored to be [ɑnər(d)-tu-bi] • 혀 위치가 동일한 자음 [l/n/d/t]는 중복되면 앞단어의 끝자음이 생략되고 뒷단어의 첫자음이 발음됩니다.

▶ today [tudei-dədei] • 약음절의 자음과 모음은 [t→d], [u→ə]처럼 약해져서 발음됩니다. 강세를 받지 않는 음절의 모음은 약해지거나 발음 편의상 자주 탈락됩니다.

▶ one of the [wʌn-ə(v)-ðə] • [워너더] 자음이 중복될 때 단어의 끝자음은 약해져 거의 발음되지 않습니다.

> Truth be told, I never graduated from college.
>
> 솔직히 저는 대학을 졸업하지 못했습니다.

Chunk 발음분석

Truth be told [tru:θ-bi-toul(d)]

I **never graduated** from **college** [ai-nevər-græʤueiti(d)-frəm-kɑ:lidʒ]

발음심화학습

▶ truth [tru:θ] • 1음절 단어이므로 3음절 [트루쓰]처럼 발음하지 않도록 유의합니다.

▶ told [toul(d)] • 혀 위치가 같은 자음 [l/d]가 중복되어 [d] 발음이 생략됩니다.

and this is the closest I've ever gotten to a college graduation.

그리고 태어나서 대학교 졸업식을 이렇게 가까이서 보는 것은 처음입니다.

Chunk 발음분석

and **this** is the **closest** [æn(d)-ðis-iz-ðə-klousis(t)]

I've **ever gotten** to a [aiv-evər-gatn-tu-ə]

college graduation [kɑ:lidʒ-grædʒueiʃən]

발음심화학습

▶ gotten [gɑtn] • [d/t/n...n]과 같은 형태의 발음은 혀끝을 입천장에 대고 호흡을 멈춘 후 콧소리로 [은] 하고 발성합니다. 약모음의 발음이 생략됩니다.

▶ graduation [grædʒueiʃən] • 3음절 단어이므로 [그래쥬에이션]처럼 늘려서 발음하지 않도록 유의합니다.

Today I want to tell you three stories from my life.

오늘, 저는 여러분께 제가 살아오면서 겪었던 세 가지 이야기를 하려고 합니다.

Chunk 발음분석

To**day** I **want** to **tell** you [t'dei-a(i)-wɔ:n(t)-(t)u-tel-ju]

three stories from my **life** [θri:-stɔ:riz-frəm-mai-lai(f)]

발음심화학습

▶ Today [tudei→t'dei] • 1음절의 모음은 탈락되어 거의 발음되지 않습니다.
▶ want to [wɔ:n(t)-(t)u] • 혀 위치가 동일한 자음 [l/n/d/t]가 중복될 때 강세음절에 속한 자음만 발음합니다.
▶ laif [lai(f)] • 1음절 단어이므로 3음절 [라이프]처럼 늘려서 발음하지 않도록 유의합니다.

That's it. No big deal. Just three stories.

그게 전부입니다. 대단한 이야기는 아닙니다. 딱 세 가지만 말씀드리겠습니다.

Chunk 발음분석

That's it [ðæts-it]

No big deal [nou-bik-diəl]

Just three stories [ʤʌs(t)-θri:-stɔ:riz]

발음심화학습

▶ No [no(u)] • 이중모음 [ou/au]나 삼중모음 [aiə]는 첫모음만 강하게, 나머지 모음은 짧고 약하게 발음합니다.

▶ just three [ʤʌs(t)-θri:] • 조음위치가 비슷한 발음 [t/θ]가 중복되면 발음 편의상 앞단어의 끝자음이 생략됩니다.

The first story is about connecting the dots

첫 번째는 인생의 전환점에 관한 이야기입니다.

Chunk 발음분석

The first story [ðə-f3:rs(t)-stɔ:ri]

is about connecting the dots [iz-əbau(t)-kənektiŋ-ðə-dɑ(t)s]

발음심화학습

▶ first story [f3:r(s)(t)-stɔ:ri] • 자음이 3개가 겹치면 중간자음은 발음되지 않고 생략됩니다. 또한 동일한 자음이 중복되면 하나만 발음됩니다.

▶ dots [dɑ(t)s] • [ts]는 [츠]라고 발음하지 않고 [t]를 생략하여 [쓰]처럼 [s]를 강하게 발음합니다.

I dropped out of Reed College after the first 6 months

전 리드칼리지에 입학한지 6개월 만에 자퇴했습니다.

Chunk 발음 분석

I **dropped out** of **Reed College** [ai-drɑpt-aut-ə(v)-ri:(d)-kɑ:lidʒ]

after the **first 6 months** [æftər-ðə-fɜ:rs(t)-siks-mʌn(θ)s]

발음심화학습

▶ dropped out of [drɑpt-aut-ə(v)] • 약음절의 [t/p/k]는 된소리로 경음화 되고 이중모음 [ɑu]는 첫모음을 강하게 [쥬랍따러]와 같이 발음합니다.

▶ Reed College [ri:(d)-kɑ:lidʒ] • 모든 단어의 끝음은 음절의 받침으로 발음합니다. [리드칼리지]라고 발음하지 않도록 유의하세요. → [륃칼리쥐]

▶ first [fɜ:rs(t)] • 1음절 단어이므로 3음절 [퍼스트]처럼 발음하지 않도록 유의합니다.

▶ months [mʌn(θ)s] • 조음위치가 유사한 발음 [θ/s]이 겹치면 끝음절만 발음합니다.
[먼뜨스]라고 3음절로 발음하지 않고 1음절로 발음합니다. → [먼쓰]

but then stayed around as a drop-in for another 18 months or so before I really quit.

그러나 정말로 그만두기 전 18개월 정도 청강생으로 머물렀습니다.

Chunk 발음 분석

but then **stayed around** [bʌt-ðen-steid-əraun(d)]

as a **drop-in** [æz-ə-drɑp-in]

for a**nother 18 months** or **so** [fər-ənʌðər-mʌn(θ)s-ər-sou]

be**fore** I **really quit** [bəfɔ:r-ai-riəli-kwit]

발음심화학습

▶ stayed around [steidə-raun(d)] • around의 첫모음은 앞단어에 붙여서 발음됩니다.

▶ drop-in [drɑp-in] • 약음절의 [k/t/p]는 경음화되어 된소리로 발음됩니다.
  ex people [피쁠]   looking [루낀]   asprin [애스쁘륀]   dropped out [쥬랍따웉]

▶ months or so [mʌn(θ)sər-sou] • 접속사는 앞단어에 붙여서 한 덩어리로 발음됩니다.
  ex black and white → black'n white   coffee and tea → coffee'n tea

So why did I drop out?

제가 왜 자퇴했을까요?

Chunk 발음분석

So **why** did I **drop out**? [sou-wai-d'ai-drɑp-aut]

발음심화학습

▶ did [did → d(ə)d → 'd] • 강세를 받지 않는 조동사의 모음은 축약되어 탈락됩니다. 같은 자음이 중복되면 하나만 발음하므로 결과적으로 ['d]만 남게 됩니다.

It started before I was born.

그것은 제가 태어나기 전으로 거슬러 올라갑니다.

Chunk 발음분석

It **started** before I was **born** [it-stɑ:rtid-bəfɔ:r-ai-wəz-bɔ:rn]

발음심화학습

▶ start [stɑ:rt] • [sp/sk/st]에서 뒷자음 [p/k/t]는 경음화되어 된소리로 발음됩니다.
　ex sky [스까이]　　school [스꿀]　　spoon [스뿐]　　steak [스떼익]

My biological mother was a young, unwed graduate student

제 생모는 젊은 미혼인 대학원생이었습니다.

Chunk 발음분석

My **biological mother** [mai-baiəlɑ:dʒikl-mʌðə(r)]

was a **young, unwed graduate student** [wəzə-jʌŋ-ʌnwe(d)-grædʒuə(t)-stu:dnt]

발음심화학습

▶ unwed graduate [ʌnwe(d)-grædʒuə(t)] • 단어의 끝음은 음절의 받침소리로 [언웰그레쥬얻]처럼 발음됩니다.
▶ student [stu:dnt] • [d/t/n...n]의 발음은 혀끝을 윗잇몸에 대고 호흡을 멈추고 콧소리로 [은] 하고 [스튜은]처럼 발음합니다.
　ex Gol<u>d</u>en [골은]　　moun<u>t</u>ain [마운은]　　di<u>d</u>n't [딛은]　　ea<u>t</u>en [잍은]

and she decided to put me up for adoption.

그래서 저를 입양보내기로 결심했던 것입니다.

Chunk 발음분석

and she de**cided** to [æn(d)-ʃi-disaidi(d)-tu]

put me **up** for a**doption** [put-mi-ʌ(p)-fər-ədɑːpʃn]

발음심화학습

▶ decided to [disaidi(d)-tu] • 혀 위치가 동일한 자음 [d/t]가 겹치면 끝음은 뒷단어에 첫자음에 동화되어 [디싸이리투]처럼 발음됩니다.

▶ up for [ʌ(p)-fər] • 혀의 위치가 비슷한 자음이 중복될 때 앞자음은 뒷자음에 동화되어 편의상 거의 발음되지 않습니다.

  ex hel(p)ful   ha(ve) fun   o(b)vious   cam(p) fire   ho(pe) for

She felt very strongly that I should be adopted by college graduates

그녀는 제가 대학 정도는 졸업한 교양 있는 사람에게 입양되기를 강력히 원했습니다.

Chunk 발음분석

She **felt very strongly** [ʃi-felt-veri-strɔːŋli]

that I should be a**dopted** [ðæt-a(i)-ʃu(d)-bi-ədɑpti(d)]

by **college graduates** [bai-kɑːliʤ-græʤuə(t)s]

발음심화학습

▶ adopted [ədɑpti(d)] • 강세가 없는 약음절의 [p/k/t]는 된소리로 경음화되므로 [어답틷]보다는 [어답띧]처럼 발음됩니다.

so everything was all set for me to be adopted at birth by a lawyer and his wife.

그래서 저는 태어나자마자 변호사 가정에 입양되기로 모든 준비가 다 되어 있었습니다.

Chunk 발음분석

so everything was all set [sou-evriθiŋ-wəz-ɔ:l-se(t)]

for me to be adopted at birth [fər-mi-tu-bi-ədɑptid-æt-bɜ:rθ]

by a lawyer and his wife [bai-ə-lɔ:jər-æn(d)-hiz-wai(f)]

발음심화학습

▶ birth [bɜ:rθ], wife [waif] • 각각 1음절 단어이므로 2음절 [버r쓰], 3음절 [와이프]처럼 늘려서 발음하지 않도록 유의합니다.

Except that when I popped out they decided at the last minute that they really wanted a girl.

그러나 제가 태어나자 그 부부는 마지막 순간에 딸을 원한다고 결정했습니다.

Chunk 발음분석

Except that when I popped out [iksep(t)-ðæt-wən-ai-pɑpt-aut]

they decided at the last minute [ðei-disaidi(d)-æt-ðə-læs(t)-mini(t)]

that they really wanted a girl [ðæt-ðei-ri:(ə)li-wɔ:n(t)id-ə-gɜ:rl]

발음심화학습

▶ when [wən] • 약모음은 축약되어 [ə]로 약화되므로 [웬]보다는 [원]에 가깝게 발음됩니다.
▶ decided [disaidi(d)] • 단어의 끝자음은 음절의 받침소리로 [디싸이린]처럼 발음됩니다.
▶ wanted [wɔ:n(t)i(d)] • 혀 위치가 같은 자음 [n/t]가 중복되어 약음절의 자음 [t]는 생략되고 끝자음은 음절의 받침소리로 [워닌]처럼 발음됩니다.
▶ girl [gɜ:rl] • [g/k]는 목에서 나오는 소리이므로 고개를 약간 들고 목에서부터 걸쭉하게 [그~얼] 하고 뽑아내야 합니다.

> So my parents, who were on a waiting list got a call in the middle of the night, asking
>
> 대기자 명단에 있던 양부모님들은 한밤중에 걸려온 전화를 받게 됩니다.

Chunk 발음분석

So my **parents** [sou-mai-peərən(t)s]

who were on a **waiting list** [hu:-wəːr-ɑn-ə-weitiŋ-list]

got a **call** [gɑt-ə-kɔːl]

in the **middle** of the **night** [in-ðə-midl-ə(v)-ðə-nai(t)]

asking [æskiŋ]

발음심화학습

▶ wating [weitiŋ] • '강모음+[d/t]+약모음'의 경우 [d/t]는 부드럽게 혀끝을 입천장에 스치며 [웨이링]처럼 발음됩니다. 이런 현상을 Flap sound라고 합니다.

▶ in the [in-ðə] • 약모음 앞의 [ð]는 약화되어 탈락되므로 부드럽게 연음되어 [이너]처럼 발음됩니다.

▶ night [nait] • 1음절 단어이므로 3음절 [나이트]로 늘려서 발음하지 않도록 유의합니다.

> "We've got an unexpected baby boy. do you want him?"
>
> "예정에 없던 사내아이가 태어났는데, 그래도 입양하실 건가요?"

Chunk 발음분석

We've **got** an **unexpected baby boy** [wiv-gɑt-ən-ʌnikspekti(d)-beibi-bɔi]

do you **want** him? [du-ju-wɔn(t)-(h)im]

발음심화학습

▶ unexpected [ʌnikspektid] • 강세가 두 군데 있으므로 제1강세와 제2강세를 모두 강하게 발음해야 합니다.

▶ want him [wɔn(t)-(h)im] • [h]는 약음절의 모음 앞에서 발음 편의상 자주 탈락됩니다.

They said: "Of course."

"물론이죠."

Chunk 발음분석

They said [ðei-se(d)]

Of course [ə(v)-kɔ:rs]

발음심화학습

▶ they [ðei] • 2음절 [데이]로 발음하지 않고 1음절 [데(이)]처럼 짧게 발음하도록 유의합니다.

My biological mother found out later that my mother had never graduated from college

그러나 제 생모는 이후에 제 어머님이 대학교를 졸업하지도 않았고,

Chunk 발음분석

My biological mother [mai-baiəlɑ:ʤikl-mʌðər]

found out later [faund-ɑu(t)-leitər]

that my mother had [ðæt-mai-mʌðər-hæ(d)]

never graduated from college [nevər-græʤueiti(d)-frəm-kɑ:liʤ]

발음심화학습

▶ found out [faund-ɑu(t)] • 끝자음은 뒷단어의 첫모음과 연음되어 [파운다운]처럼 발음됩니다.
▶ graduated [græʤueiti(d)] • [ʤ] 발음은 [d]와 [ʒ]를 동시에 발성합니다. 한국어의 [ㅈ]과는 전혀 다른 소리이므로 혀와 입모양에 유의합니다.

and that my father had never graduated from high school.
게다가 아버지는 고등학교도 졸업하지 않은 것을 알게 되었습니다.

Chunk 발음분석

and that my **father** had [æn(d)-ðæt-mai-fɑːðər-hæ(d)]

never graduated from **high school** [nevər-græʤueiti(d)-frəm-hai-skuːl]

발음심화학습

▶ had [hæ(d)] • 단어의 끝자음은 음절의 받침소리로 발음됩니다. 2음절 [해드]로 발음하면 안 되고 [핻]처럼 1음절로 발음합니다.

▶ school [skuːl] • [sk/sp/st]의 [k/p/t]는 된소리로 경음화되어 [스꿀]처럼 발음됩니다.

She refused to sign the final adoption papers.
친어머니는 입양서류에 서명하기를 거절하셨습니다.

Chunk 발음분석

She re**fused** to **sign** the [ʃi-rifjuːz(d)-tu-sain-ðə]

final adoption papers [fainl-ədɑpʃən-peipərz]

발음심화학습

▶ refused to [rifjuːz(d)-tu] • 혀 위치가 동일한 자음 [d/t]가 중복되어 끝자음이 생략되므로 [리퓨스투]처럼 발음됩니다.

▶ final [fain'l] • 약음절의 모음은 축약되어 탈락되므로 [똬이늘]처럼 발음됩니다.

▶ papers [pei-pərz] • 약음절의 [p/k/t]는 [페(이)뻐(즈)]처럼 된소리로 발음됩니다.

> She only relented a few months later when my parents promised that I would go to college.
>
> 친어머니는 양부모님들이 저를 꼭 대학까지 보내주겠다고 약속한 후 몇 개월이 지나서야 화가 풀렸습니다.

Chunk 발음분석

She **only relented** a [ʃi-ounli-rilentid-ə]

few months later [fju-mʌn(θ)s-leitər]

when my **parents promised** [wən-mai-peərən(t)s-prəmist]

that I would **go** to **college** [ðæt-ai-wu(d)-gou-tu-kɑ:lidʒ]

발음심화학습

▶ parents [peərən(t)s] • 조음위치가 비슷한 자음 [t/s]가 중복되면 편의상 앞자음은 생략하고 뒷자음을 강하게 발음합니다.
▶ when [wən] • 강세가 없는 모음은 [ə]로 약화되어 [웬]보다는 [원]에 가깝게 발음됩니다.
▶ would [wud] • 1음절 단어이므로 2음절 [우드]와 달리 [원]처럼 발음합니다.

> This was the start in my life.
>
> 이것이 제 인생의 시작이었습니다.

Chunk 발음분석

This was the **start** [ðis-wəz-ðə-stɑ:rt]

in my **life** [in-mai-lai(f)]

발음심화학습

▶ start [stɑ:rt], life [laif] • 각각 3음절 [스타트/라이프]로 발음하지 않도록 유의합니다. 1음절 단어이므로 단 한 번의 호흡으로 짧게 발성해야 합니다.

02주차 내면의 소리

저자 동영상 강의와 함께 학습하세요.

And seventeen years later, I did go to college.

그리고 17년이 지나서 저는 대학교에 가게 됩니다.

Chunk 발음분석

And seventeen years later [æn(d)-sevnti:n-jiəz-leitər]

I did go to college [a(i)-di(d)-gou-tu-kɑliʤ]

발음심화학습

▶ year [jiər] • 한국어의 [이]처럼 입 양끝을 옆으로 벌린 상태에서 발음을 시작합니다.
▶ did [di(d)] • 끝자음은 음절의 받침소리로 발음되므로 [딛]처럼 1음절로 발음합니다.

But I naively chose a college that was almost as expensive as Stanford

그러나 저는 순진하게도 스탠포드의 학비와 맞먹는 값비싼 학교를 선택했습니다.

Chunk 발음분석

But I naively chose a college [bʌt-ai-naivli-tʃouz-ə-kɑliʤ]

that was almost as [ðæt-wəz-ɔ:lmoust-əz]

expensive as Stanford [ikspensiv-ə(z)-stænfɔr(d)]

발음심화학습

▶ almost as expensive as [ɔ:lmoustəz-ikspensivəz] • as는 앞단어에 붙여서 발음됩니다.
   ex half as much as [haefəz-mʌtʃəz] / twice as much as [twaisəz-mʌtʃəz]
▶ Stanford [stænfɔr(d)] • [st/sp/sk]의 [t/p/k]는 된소리로 [스땐포r(d)]처럼 발음합니다.

and all of my working-class parents' savings were being spent on my college tuition.

평범한 노동자였던 부모님이 힘들게 모아뒀던 돈이 모두 제 학비로 들어갔습니다.

Chunk 발음분석

and **all** of my [æn(d)-ɔːl-ə(v)-mai]

working-class parents' savings [wɔːrkiŋ-klæs-peərənt(s)-seiviŋz]

were being **spent** on my [wɜːr-biŋ-spent-ɑn-mai]

college tuition [kɑlidʒ-tuiʃən]

발음심화학습

▶ working-class [wɔːrkiŋ-klæs] • 약음절의 파열음 [k/p/t]는 경음화되어 [워r낑]처럼 된소리로 발음됩니다.

▶ parents' savings [peərən(t)(s)-seiviŋz] • 조음위치가 유사한 [t/s]는 겹치면 앞자음 [t]는 생략되고 [s]를 강하게 발음합니다.

After six months, I couldn't see the value in it.

6개월 후, 저는 그만한 가치를 느끼지 못했습니다.

Chunk 발음분석

After **six months** [æftər-siks-mʌn(t)s]

I couldn't **see** the **value** in it [ai-kudn(t)-siː-ðə-væljuː-in-it]

발음심화학습

▶ months [mʌn(θ)s] • 자음이 연속으로 3개가 겹치면 편의상 가운데 자음의 발음은 생략됩니다.

I had no idea what I wanted to do with my life

저는 제가 제 인생에서 뭘 하고 싶은지도 몰랐습니다.

Chunk 발음분석

I had **no idea** [ai-hæ(d)-nou-aidiə]

what I **wanted** to **do** [wɑt-a(i)-wɔn(t)i(d)-tu-du]

with my **life** [wiθ-mail-lai(f)]

발음심화학습

▶ had [hæ(d)] • 모든 단어의 끝자음은 음절의 받침소리로 [헫]처럼 발음합니다.
▶ wanted [wɔn(t)i(d)] • 혀 위치가 같은 자음 [l/n/d/t]가 중복될 때 약음절의 발음은 편의상 생략되므로 [워닡]처럼 발음됩니다.
▶ life [lai(f)] • 1음절 단어이므로 3음절 [라이프]처럼 늘려서 발음하지 않도록 유의합니다.

and no idea how college was going to help me figure it out.

대학교가 그것을 알아내는 데 어떻게 도움을 줄지도 몰랐습니다.

Chunk 발음분석

and **no idea how college** [æn(d)-nou-aidi:ə-hau-kɑliʤ]

was going to **help** me [wəz-goin'-tu-hel(p)-mi]

figure it **out** [figjər-it-aut]

발음심화학습

▶ going to [gouin'-(t)u] • -ng의 g가 탈락되어 [고이누]처럼 발음됩니다.
▶ help [help] • 1음절 단어이므로 2음절 [헬프]가 아니라 [헤(읲)]처럼 짧게 발음합니다.
▶ [l+자음]의 형태로 끝나면 [l]은 거의 발음되지 않고 자음 앞에 [ə]를 삽입하여 발음합니다.

> And here I was spending all of the money my parents had saved their entire life.

게다가 양부모님들이 평생토록 모은 재산이 전부 제 학비로 들어가고 있었습니다.

Chunk 발음분석

And **here I was** [æn(d)-hiər-ai-wəz]

spending all of the **money** [spendiŋ-ɔːl-ə(v)-ðə-mʌni]

my **parents** had **saved** their en**tire life** [mai-peərən(t)s-hæ(d)-seiv(d)-ðer-intaiər-lai(f)]

발음심화학습

▶ all of the [ɔːl-ə(v)-ðə] • of의 [v]는 음절의 받침소리로 약화되어 [올러더]처럼 발음됩니다.
▶ had [(h)æ(d)] • 약모음 앞의 [h]는 구어체에서 자주 탈락되어 [앤]처럼 발음됩니다.

> So I decided to drop out and trust that it would all work out OK.

그래서 저는 자퇴하기로 결심하고 모든 일이 다 잘될 거라고 믿기로 했습니다.

Chunk 발음분석

So I de**cided** to **drop out** [sou-ai-disaidi(d)-tu-drɑp-aut]

and **trust** that it would [æn(d)-trʌs(t)-ðæt-it-wud]

all work out OK [ɔːl-wɔrk-aut-oukei]

발음심화학습

▶ decided to [disaidi(d)-tu] • 강모음과 약모음 사이의 [d/t]는 혀끝이 입천장을 스치는 플랩사운드로 [ㄹ]처럼 부드럽게 발음되므로 [디싸리투]처럼 발음됩니다.
▶ trust [tr-ʌ-st] • 1음절 단어이므로 4음절 [트러스트]처럼 늘려서 발음하지 않도록 유의합니다.
▶ would [wʌd] • 1음절 단어이므로 2음절 [우드]처럼 발음하지 않고 [월]처럼 발음합니다.

It was pretty scary at the time,

당시에는 정말 두려웠습니다.

Chunk 발음분석

It was **pretty scary** [i(t)-wəz-p(ə)ri-skeəri]

at the **time** [æ(t)-ðə-taim]

발음심화학습

▶ [r+모음] • 급하게 발음할 때 [r]과 [r] 뒤의 모음은 약해져 거의 발음되지 않습니다.

　ex　pretty [pəri]　　prefer [pəfəʳ]　　prepare [pəpeəʳ]　　hundred [hʌndrəd]

▶ scary [skəri] • [sk/st/sp]의 [k/t/p]는 된소리로 [스께에리]처럼 발음됩니다.

but looking back, it was one of the best decisions I've ever made.

하지만 지금 뒤돌아보면 제가 내렸던 가장 훌륭한 결정 중의 하나가 아닌가 생각됩니다.

Chunk 발음분석

but **looking back** [bʌt-lukiŋ-bæk]

it was **one** of the **best decisions** [i(t)-wəz-wʌn-ə(v)-ðə-bes(t)-diziʒənz]

I've **ever made** [aiv-evər-mei(d)]

발음심화학습

▶ looking [lukiŋ] • 약음절의 [p/k/t]는 된소리로 경음화 되어 [루낑]처럼 발음됩니다.

▶ best decision [bes(t)-diziʒənz] • 혀 위치가 같은 자음 [t/d]가 중복되면 끝자음의 발음은 생략되어 [베스디시젼]처럼 발음됩니다.

> The minute I dropped out, I could stop taking the required classes that didn't interest me.
>
> 제가 학교를 그만두자, 흥미 없던 필수과목들을 듣는 것을 그만두었습니다.

Chunk 발음분석

The **minute** I **dropped out** [ðə-minit-ai-drapt-au(t)]

I could **stop taking** the re**quired classes** [a(i)-ku(d)-sta(p)-teikiŋ-ðə-rikwaiər(d)-klæsiz]

that **didn't interest** me [ðæt-didn(t)-intrəs(t)-mi]

발음심화학습

▶ dropped out [drapt-aut] • 끝자음과 첫모음이 만나 연음이 되며 약음절의 [t]는 된소리로 경음화되어 [쥬랍따웃]처럼 발음됩니다.

▶ could [kud] • 끝자음은 음절의 받침소리로 1음절 [큳]처럼 발음합니다. 2음절 [쿠드]로 늘려서 발음하지 않도록 유의합니다.

▶ didn't [didn(t)] • [d/t/n.....n]의 발음은 혀끝을 입천장에 대고 호흡을 멈춘 뒤 콧방귀 뀌듯이 [흔]하고 [딛은]처럼 발음합니다.

ex moun<u>t</u>ain [마운흔]   Clin<u>t</u>on [클린흔]   stu<u>d</u>ent [스튜은]   bu<u>tt</u>on [벋은]

> and begin dropping in on the ones that looked far more interesting
>
> 그리고 더 재밌어 보이는 과목들을 청강하기 시작했습니다.

Chunk 발음분석

and be**gin** [æn(d)-bigin]

dropping in on the **ones** [drapiŋ-in-an-ðə-wʌnz]

that **looked far more interesting** [ðæt-luk(t)-fa:r-mɔ:r-intrəstiŋ]

발음심화학습

▶ looked far [luk(t)-fa:r] • 자음 3개가 연속으로 겹치면 중간자음은 발음되지 않고 생략됩니다.

ex asked [æs(k)t]   winked [win(k)t]   drinks [drin(k)s]   pumpkin [pʌm(p)kin]

> **It wasn't all romantic. I didn't have a dorm room,**
>
> 하지만 꼭 낭만적인 것만도 아니었습니다. 기숙사에는 제 방이 없었습니다.

Chunk 발음분석

It **wasn't all** ro**mantic** [i(t)-wəsn(t)-ɔ:l-roumæntik]

I didn't have a **dorm room** [ai-didn(t)-hæv-ə-dɔ:rm-ru:m]

> **so I slept on the floor in friends' rooms.**
>
> 그래서 친구 집 마룻바닥에 자기도 했습니다.

Chunk 발음분석

so I **slept** on the **floor** [sou-ai-slept-ɑn-ðə-flɔ:r]

in **friends' rooms** [in-fren(d)z-ru:mz]

발음심화학습

- ▶ slept on the [slept-ɑn-ðə] • 약음절의 [p/k/t]는 된소리로 경음화되어 [슬렙떤더]처럼 발음합니다.
- ▶ friends [fren(d)z] • 조음위치가 유사한 발음 [d/z]가 중복되면 편의상 앞자음이 생략되므로 [프렌드즈]라고 발음하면 안 되고 [프렌즈]처럼 발음합니다.

> **I returned Coke bottles for the five-cent deposits to buy food with.**
>
> 한 병당 5센트씩 하는 코카콜라 빈병을 팔아서 먹을 것을 사기도 했습니다.

Chunk 발음분석

I re**turned Coke bottles** [ai-ritɜ:rn(d)-kou(k)-bɑtlz]

for the **five-cent** de**posits** [fər-ðə-fai(v)-sen(t)-dipɑzi(t)s]

to **buy food** with [tu-bai-fu:d-wiθ]

발음심화학습

- ▶ returned Coke [ritɜ:rn(d)-kou(k)] • 단어의 끝자음은 약해져서 [리턴코욱]처럼 발음합니다.
- ▶ five [fai(v)] • 1음절 [퐈입] 단어이므로 3음절 [파이브]처럼 늘려서 발음하지 않도록 유의합니다.
- ▶ deposits [dipɑzi(t)s] • [d/t/θ/ð/s]와 같이 발성위치가 비슷한 무성음이 겹치면 앞자음은 뒷자음에 동화되므로 [t]는 생략되고 [s]를 강하게 발음합니다.
- ▶ sports • [t]를 생략하고 [s]를 강하게, [스포츠]보다는 [스포(쓰)]에 가깝게 발음합니다.

And I would walk the seven miles across town every Sunday night

또 매주 일요일 저녁, 건너 마을을 지나 7마일이나 걷곤 했습니다.

Chunk 발음 분석

And I would **walk** the **seven miles** [æn(d)-a(i)-wud-wɔːk-ðə-sevn-mailz]

a**cross town every Sunday night** [əkrɔs-taun-evri-sʌndei-nai(t)]

발음심화학습

▶ mile [maiəl] • 단어 끝의 [l]은 dark [l]이라고 부르며 약모음 [ə]를 살짝 첨가하여 [마일]보다는 [마열]처럼 발음됩니다.

ex oil [oiəl] [오열]　　fail [feiəl] [페열]　　meal [miəl] [미열]　　possible [pɑsəbəl] [파써벌]

to get one good meal a week at the Hare Krishna temple

일주일에 한 번이라도 제대로 된 음식을 먹기 위해 크리슈나 사원의 예배에 참석하기도 했습니다.

Chunk 발음 분석

to get **one good meal** a **week** [tu-get-wʌn-gu(d)-miːəl-ə-wiː(k)]

at the **Hare Krishna temple** [æt-ðə-hari-kriʃnə-templ]

발음심화학습

▶ good [gud] • 모음 [u]는 목구멍 근처에서 발성되며 한국어의 [우]보다 [으]에 가깝습니다. 고개를 30° 정도 들고 [굳]보다는 [귿] 하고 목을 열어서 발음합니다.

▶ meal [miəl] • 단어의 끝에 오는 [l]은 약모음 [ə]을 첨가하여 [미얼]처럼 발음합니다.

I loved it

정말 맛있었습니다.

Chunk 발음 분석

I **loved** it [ai-lʌvd-it]

And much of what I stumbled into by following my curiosity and intuition

호기심과 직관에 따라 행동했던 이때의 제 많은 실수와 그 경험들은,

Chunk 발음분석

And **much** of what I **stumbled into** [æn(d)-mʌtʃ-ə(v)-wɑt-ai-stʌmbl(d)-intu]

by **following** my **curiosity** and **intuition** [bai-fɑlouiŋ-mai-kjuriɑːsəti-æn(d)-intuiʃən]

발음심화학습

▶ much of [mʌtʃ-ə(v)] • of는 앞단어에 붙여서 [머첩]처럼 한 덩어리로 발음합니다.

▶ stumbled [stʌmbəl] • [st]는 된소리로 경음화되고 단어 끝에 오는 [L]은 약모음 [ə]을 첨가하여 [스떰벌]처럼 발음합니다.

turned out to be priceless later on.

나중에 정말 값진 경험이 됐습니다.

Chunk 발음분석

turned out to be **priceless** [tɜːrn-au(t)-tu-bi-praislis]

later on [leilər-ɑn]

발음심화학습

▶ turned out [tɜːrn-au(t)] • 앞단어의 끝자음이 뒷단어의 첫모음과 만나 [턴다웃]처럼 연음됩니다.

▶ stumbled [stʌmbəl(d)] • [t/p/k]는 된소리로 경음화되므로 [스텀벌(ㄷ)]처럼 발음합니다.

Let me give you one example.

예를 하나 들어 보겠습니다.

Chunk 발음분석

Let me **give** you [le(t)-mi-giv-ju]

one example [wʌn-igzæmpl]

발음심화학습

▶ example [igzaempəl] • 약음절의 [p/k/t]는 된소리로 경음화되어 [익잼쁠]처럼 발음합니다.

> Reed College at that time offered perhaps the best calligraphy instruction in the country.

그 당시 리드칼리지에는 아마도 미국 최고의 서체 강좌가 있었습니다.

Chunk 발음분석

Reed College at that time [ri:(d)-kɑlidʒ-æ(t)-ðæ(t)-taim]

offered perhaps [ɔ:fər(d)-pərhæps]

the best calligraphy instruction [ðə-bes(t)-kəligrəfi-instrʌkʃən]

in the country [in-ðə-kʌntri]

발음심화학습

▶ Ree(d) College, offere(d) perhaps, bes(t) calligraphy
앞단어의 끝자음은 뒷단어가 자음으로 시작할 때 약해져서 거의 발음되지 않습니다.
▶ country [kʌntri] • 2음절 단어이므로 3음절 [컨츄리]처럼 늘려서 발음하지 않도록 유의합니다.

> Throughout the campus, every poster, every label on every drawer was beautifully hand-calligraphed.

학교 곳곳의 모든 포스터며, 서랍에 붙어있던 라벨들은 매우 아름다운 손글씨체로 쓰여 있었습니다.

Chunk 발음분석

Throughout the campus [θru:au(t)-ðə-kæmpəs]

every poster [evri-poustər]

every label on every drawer [evri-leibl-ɑn-evri-drɔ:ər]

was beautifully hand-calligraphed [wəz-bju:tifli-hæn(d)-kæləgræft]

발음심화학습

▶ drawer [drɔ:ər] • 1음절 단어이므로 3음절 [드로어]처럼 발음하지 않도록 유의합니다.

> **Because I had dropped out and didn't have to take the normal classes,**
>
> 저는 자퇴를 해서, 정규 과목을 들을 필요가 없었기 때문에,

Chunk 발음분석

Be**cause** I had **dropped out** [bikɔ:zaiæ(d)-drɑptau(t)]

and **didn't** have to **take** the [æn(d)-din(t)-hævtu-tei(k)-ðə]

normal classes [nɔ:rml-klæsiz]

발음심화학습

▶ had [hae(d)] • [h]는 약모음 앞에서 탈락되고 끝자음은 음절의 받침소리로 발음되므로 [앧]처럼 발음됩니다.

▶ dropped out [drɑptau(t)] • 약음절의 [p/k/t]는 된소리로 경음화되어 [쥬랍따운]처럼 발음합니다.

▶ didn't [did'n] • [d/t/n...n]의 발음은 혀끝을 입천장에 붙이고 호흡을 멈춘 뒤 콧소리로 [은] 하고 발음하므로 [딛은]처럼 발음합니다.

▶ take [teik] • 1음절 단어에서 끝자음이 [p/k/t]와 같이 무성음으로 끝나면 모음이 짧게 발음됩니다.

> **I decided to take a calligraphy class to learn how to do this.**
>
> 서체에 대해서 배워보기로 마음먹고 서체 수업을 들었습니다.

Chunk 발음분석

I de**cided** to [ai-disaidi(d)-tu]

take a ca**lligraphy class** [teik-ə-kəligrəfi-klæs]

to **learn how** to **do this** [tu-lɜ:rn-hau-du-du-ðis]

발음심화학습

▶ decided to [disai(d)-tu] • 강모음과 약모음 사이의 [t/d]는 혀끝이 입천장을 부드럽게 스치는 '플랩사운드'이므로 [디싸리투]처럼 발음됩니다.

▶ how to [hau-du] • 강모음과 약모음 사이의 [t]는 플랩되어 [하우루]처럼 발음됩니다.

I learned about serif and sans-serif typefaces,
삐침이 있는 글꼴과 없는 글꼴에 대해서 배웠습니다.

Chunk 발음 분석

I learned about [ai-lɜ:rnd-əbau(t)]

serif and sans-serif typefaces [seri(f)-'n-sænserə(f)-tai(p)feisis]

발음심화학습

▶ learned about [lɜ:rndə-bau(t)] • 뒷단어의 첫모음 [ə]는 앞단어에 붙여 [런더바웃]처럼 발음됩니다.

▶ serif and [seri(f)'n] • 접속사 and는 ['n]으로 축약되어 [쎄러픈]처럼 발음됩니다.

▶ typeface [tai(p)feis] • 혀의 위치가 비슷한 자음이 중복될 경우 앞자음은 뒷자음에 동화되어 편의상 거의 발음되지 않습니다.

ex ob<u>v</u>ious [ə(b)viəs]　gi<u>ve</u> <u>b</u>irth [gi(v)-bɜ:rθ]　hel<u>p</u>ful [hel(p)fl]　ha<u>ve</u> <u>f</u>ull [hæ(v)-ful]

about varying the amount of space between different letter combinations
다른 글자 조합들 간의 여백을 다양하게 조정하는 법에 대해서 배웠습니다.

Chunk 발음 분석

about varying the amount of space [əbaut-veriŋ-ði-əmaun(t)-ə(v)-speis]

between different letter combinations [bitwin-difərən(t)-letər-kɑmbineiʃənz]

발음심화학습

▶ different [dif(ə)r(ə)n(t)] • [dif'r'n] 약모음이 축약되어 2음절 단어처럼 짧게 발음됩니다.

▶ letter [letər] • 강모음과 약모음 사이 [t/d]는 플랩사운드로 혀끝이 입천장을 스치면서 [레러] 하고 발음됩니다.

> about what makes great typography great.

그리고 무엇이 훌륭한 서체를 만드는 지에 대해서 배웠습니다.

Chunk 발음분석

about what makes great [ə-bau(t)-wa(t)-meiks-grei(t)]

typography great [taipɑ:grəfi-greit]

발음심화학습

▶ makes [meiks], great [greit] • 1음절 단어이므로 3음절 [메이크], 4음절 [그레이트]처럼 늘려서 발음하지 않도록 유의합니다.

> It was beautiful, historical, artistically subtle, in a way that science can't capture

과학으로는 설명할 수 없는 아름답고, 역사적이며 예술적으로 정교한 것이었습니다.

Chunk 발음분석

It was beautiful, historical [i(t)-wəz-bju:rəfəl-histourikəl]

artistically subtle [ɑ:rtistikəli-sʌtl]

in a way that [in-ə-wei-ðæt]

science can't capture [saiəns-kæn(t)-kæptʃər]

발음심화학습

▶ historical [histourik(ə)l], artistically [artistik(ə)li] • 약음절의 [p/k/t]는 된소리로 [히스또리끌], [아티스티끌리]와 같이 발음됩니다.

▶ can't [kæn(t)] 긍정일 때는 모음이 약해져 [컨], 부정일 때는 [캔]처럼 발음합니다.

> and I found it fascinating.

전 완전히 매료되었습니다.

Chunk 발음분석

and I found it fascinating [æn(d)-aifaunit-fæsəneitiŋ]

03주차 인생의 전환점

저자 동영상 강의와 함께 학습하세요.

> **None of this had even a hope of any practical application in my life.**
> 이런 것 중 어느 하나도 제 인생에 실제로 활용될 것 같지는 않았습니다.

Chunk 발음분석

None of this [nʌn-ə(v)-ðis]

had even a hope of any [hae(d)-ivnə-houp-əv-eni]

practical application [præktikəl-æplikeiʃən]

in my life [in-mai-lai(f)]

발음심화학습

▶ hope of any [houp-əv-eni] • 약음절의 [p/k/t]는 된소리로 [호(우)뻐베니]처럼 발음합니다.

▶ practical [praetik(ə)l] • 약음절의 [p/k/t]는 된소리로 경음화되어 [프랙띠끌]처럼 발음합니다.

▶ application [æplikeiʃən] • 3음절 이상의 단어의 경우 두 군데 강세를 받으므로 첫 번째 강세만 발음하지 않도록 유의합니다.

> But ten years later, when we were designing the first Macintosh computer, it all came back to me.
>
> 그러나 10년 후, 최초의 매킨토시 컴퓨터를 설계할 때, 그것들은 모두 도움이 되었습니다.

Chunk 발음분석

But **ten years later** [bə(t)-ten-jiərz-leitər]

when we were de**signing** [wən-wi-wə:r-d(ə)zainiŋ]

the **first Macintosh** com**puter** [ðə-fɜ:rs(t)-mækintɑʃ-kəmpjutər]

it **all came back** to me [it-ɔl-keim-bæk-tu-mi]

발음심화학습

▶ design [d(ə)zain] • 약음절의 모음이 탈락되어 [디자인]보다는 [드자인]처럼 발음됩니다.

▶ first Macintosh [fɜ:rs(t)-mækintɑʃ] • 3개의 자음이 연속으로 겹치면 중간자음은 발음되지 않으므로 [t] 발음이 생략됩니다.

▶ it all [itɔl] • 앞단어의 끝자음이 뒷단어의 첫모음을 만나 연음이 되어 [이롤]처럼 발음됩니다.

> And we designed it all into the Mac.
>
> 우리는 매킨토시에 그 기능을 모두 담아서 설계했습니다.

Chunk 발음분석

And we de**signed** it **all** [æn(d)-wi-d(ə)zaind-it-ɔ:l]

into the **Mac** [indu-ðə-mæ(k)]

발음심화학습

▶ into [intu → indu] • 발음 편의상 [t]가 [d]로 약해져서 [인두]처럼 발음됩니다.

It was the first computer with beautiful typography.
그것은 아름다운 서체를 가진 최초의 컴퓨터였습니다.

Chunk 발음분석

It was the **first** com**puter** [it-wəz-ðə-fɜːrst-kəmpjuːtər]

with **beautiful** ty**pography** [wiθ-bjuːtifl-taipɑgəfi]

발음심화학습

▶ computer [kəmpjuːtər] • 약음절의 [t/d]는 부드럽게 굴려서 [컴퓨러]처럼 발음합니다.
▶ typography [taipɑgəfi] • [ɑ]는 목젖이 보일 만큼 입을 크게 벌립니다. ph는 [f] 발음이므로 [p]로 발음하지 않도록 유의합니다.

If I had never dropped in on that single course in college,
만약 제가 대학을 그만두지 않고 그런 수업을 듣지 않았다면

Chunk 발음분석

If I had **never dropped in** [if-ai-hæ(d)-nevər-drɑpt-in]

on that **single course** in **college** [ɑn-(ð)æt-siŋgl-kɔːrs-in-kɑlidʒ]

발음심화학습

▶ had [(h)a(d)] • 약모음 앞에서 [h]는 자주 탈락됩니다. 끝자음 [d]는 음절의 받침으로 [앤]처럼 발음합니다.
▶ dropped in [drɑptin] • [d+r]을 하나의 자음처럼 동시에 발음합니다. 약음절의 [t]는 된소리로 경음화 되어 [쥬랍띤]처럼 발음됩니다.
▶ on that [ɑn-(ð)æt] • [ð]는 약모음 앞에서 탈락되어 [언냳]처럼 연음되어 발음됩니다.

> the Mac would have never had multiple typefaces or proportionally spaced fonts.

매킨토시는 복수서체 기능이나 자동자간 맞춤기능을 가지지 못했을 겁니다.

Chunk 발음분석

the **Mac** would have **never had** [ðə-mæk-wud-hæ(v)-nevər-hæ(d)]

multiple typefaces [mʌltipl-taifeisiz]

or pro**portionally spaced fonts** [ər-p(r)əpɔːrʃənli-speist-fɑːn(t)s]

발음심화학습

▶ have [hæ(v)], had [hæ(d)] • 단어의 끝자음은 음절의 받침소리로 [햅], [핻]처럼 1음절로 발음됩니다.

▶ would have never had [wudə-nevər-hæ(d)]
would have+P.P. [wudəv → wuəv, wurə], could have+P.P. [kudəv → kurəv, kurə]
should have+P.P. [ʃudəv → ʃurəv, ʃurə], must have+P.P. [mʌstəv, mʌstə]

▶ proportionally [p(r)əpɔrʃəli → pəpɔrʃəli] • 약음절에 속한 [r+모음]은 발음편의상 [r]은 생략되고 모음은 약모음으로 약화되어 발음됩니다.

▶ spaced fonts [speis(t)-fɔn(t)s] • 자음이 연속 3개가 겹치면 가운데 자음은 생략됩니다.

> And since Windows just copied the Mac, it's likely that no personal computer would have them.

그리고 윈도우가 맥을 따라했기 때문에 개인용 컴퓨터에는 이런 기능이 탑재될 수 없었을 겁니다.

Chunk 발음분석

And since **Windows** [æn(d)-sins-windouz]

just copied the **Mac** [dʒʌs(t)-kɑpi(d)-ðə-mæk]

it's **likely** that [i(t)s-laikli-ðæt]

no personal computer [nou-pɜːrsnəl-kəmpjuːtər]

would **have** them [wud-hæv-ðəm]

발음심화학습

▶ just copied [dʒʌs(t)-kɑpi(d)] • 자음 3개가 연속으로 겹칠 경우 가운데 자음의 발음은 생략됩니다.

▶ likely that [laikli-ðæt] • 접속사 that은 축약되어 순간적으로 짧게 발음합니다.

▶ would have them [wud-hæv-ðəm] • 강세를 받지 않는 1음절 단어들로만 이루어져 있으므로 [우드-해브-뎀]이 아니라 [윋-햅-덤]처럼 짧은 호흡으로 발음하도록 유의합니다.

> If I had never dropped out, I would have never dropped in on that calligraphy class,

만약 학교를 자퇴하지 않았다면, 서체 수업을 청강하지 못했을 것이고,

Chunk 발음분석

If I had **never dropped out** [if-(h)æ(d)-nevər-drap-au(t)]

I would have **never dropped in** [ai-wud-hæv-nevər-drap-in]

on that ca**lligraphy class** [an-(ð)æt-kəligrəfi-klæs]

발음심화학습

▶ had [hæd] • 끝자음 [d]는 음절의 받침으로 들어가 1음절로 [햄]처럼 발음합니다.
▶ dropped out [drap-aut] • 약음절의 [p/t/k]는 된소리로 경음화되어 [쥬랍따운]처럼 발음합니다.
▶ would [wud] • 2음절 [우드]로 발음하면 안 되고 1음절로 [웓]처럼 발음해야 합니다.
▶ have [hæv] • 약모음 앞에서 [h]는 자주 탈락되고 끝자음은 음절의 받침소리로 [앱]처럼 발음합니다.
▶ on that [an-ðaet] [an'aet] • 약모음 앞에서 [ð]는 탈락되므로 [언넫]처럼 발음됩니다.

> and personal computers might not have the wonderful typography that they do.

그러면 개인용 컴퓨터가 오늘날처럼 뛰어난 글씨체를 가질 수도 없었을 겁니다.

Chunk 발음분석

and **personal** com**puters** [æn(d)-pɜ:rsənl-kəmpjutərz]

might not have the [mai(t)-nat-hæv-ðə]

wonderful ty**pography** [wʌndərfl-taipa:grəfi]

that they **do** [ðæt-ðei-du]

발음심화학습

▶ personal computers [pɜr:s(ə)n(ə)l-k(ə)mpju:tər:z] • 약음절의 모음은 짧고 약하게 발음합니다. 빠른 구어체에서는 대부분 탈락되어 발음하기도 합니다.
▶ might not have the [mai(t)-na(t)-hæ(v)-ðə] • 모든 단어를 1음절로 발음해야 합니다. [마잍], [해브]처럼 음절을 늘려서 발음하지 않도록 유의합니다.

Of course, it was impossible to connect the dots looking forward when I was in college.

물론 제가 대학을 다닐 때는 미래를 보며 점들을 연결하는 것은 불가능했습니다.

Chunk 발음분석

Of **course** [ə(v)-kɔːrs]

It was im**possible** to co**nnect** the **dots** [it-wəz-impɑsəbl-tu-kənek(t)-ðə-dɑ(t)s]

looking forward when I was in **college** [lukiŋ-fɔːrwərd-wən-ai-wəz-in-kɑːlidʒ]

발음심화학습

▶ It was impossible [i(t)wəzim-pɑsəbəl] • 약음절은 모두 붙여서 [이워짐]처럼 덩어리로 발음합니다.

▶ dots [dɑ(t)s] • 조음위치가 유사한 [t/ð/t/s] 발음이 겹치면 앞자음은 뒷자음에 동화되어 생략되므로 [다(츠) → 다(쓰)]처럼 발음합니다.

▶ when I was in college [w(ə)naiwəzin-kɑlidʒ] • college를 제외한 모든 단어가 약음절이므로 모두 한 번에 붙여서 [워나워진]처럼 발음합니다.

But it was very, very clear looking backwards ten years later.

그러나 10년이 지난후 되돌아보니 모든 것이 분명하게 보였습니다.

Chunk 발음분석

But it was **very, very clear** [bət-it-wəz-veri-veri-kliər]

looking backwards [lukiŋ-bækwər(d)z]

ten years later [ten-jiərz-leitər]

발음심화학습

▶ looking backwards [lukiŋ-bækwər(d)z] • 약음절의 [k/p/t]는 된소리로 경음화되어 [루낑]처럼 발음합니다. [d/z]는 조음위치가 비슷한 발음이므로 중복되면 [d]를 생략하고 [빽워r즈]처럼 발음합니다.

Again, you can't connect the dots looking forward;

다시 말씀드리지만 여러분은 미래를 내다보면서 점들을 연결할 수는 없습니다.

Chunk 발음분석

Again [ə-gen]

you can't connect the dots [ju-kæn'(t)-kənek(t)-ðə-dɑ(t)s]

looking forward [lukiŋ-fɔ:rwər(d)]

발음심화학습

▶ connect the dots [kənek(t)-ðə-dɑ(t)s] • 조음위치가 비슷한 발음 [t/ð/t/s]가 중복되면 편의상 앞자음의 발음을 생략합니다.

you can only connect them looking backwards.

다만 과거를 되돌아보며 점들을 연결할 수 있을 뿐입니다.

Chunk 발음분석

you can only connect them [ju-kən-ounli-kənek(t)-ðəm]

looking backwards [lukiŋ-bækwər(d)z]

발음심화학습

▶ can [kən] • 긍정의 의미일 경우 can은 [컨/큰]처럼 모음을 약하고 짧게 발음합니다.
▶ backwards [bækwər(d)z] • 조음위치가 비슷한 발음 [d/z]가 중복되어 [z]만 발음합니다.

> **So you have to trust that the dots will somehow connect in your future.**
> 그러므로 여러분은 현재의 순간들이 미래에 어떤 식으로든지 연결된다는 걸 믿어야만 합니다.

Chunk 발음분석

So you **have** to **trust** [sou-ju-hæv-tu-trʌst]

that the **dots** will **somehow** [ðæt-ðə-dɑ(t)s-wil-sʌmhau]

co**nnect** in your **future** [kənekt-in-juər-fju:tʃər]

발음심화학습

▶ trust [trʌst] • 1음절 단어이므로 4음절 [트러스트]처럼 늘려서 발음하지 않도록 유의합니다.

▶ connect in [kəne(k)t-in] • 약음절의 [p/k/t]는 된소리로 경음화되어 [커넥띤]처럼 발음합니다.

> **You have to trust in something - your gut, destiny, life, karma, whatever.**
> 여러분은 자신의 배짱, 운명, 인생, 인연 등 무언이든지간에 믿음을 가져야 합니다.

Chunk 발음분석

You **have** to **trust** in **something** [ju-hæv-tu-trʌst-in-sʌmθiŋ]

your **gut**, **destiny**, **life**, **karma**, what**ever** [jər-gʌt-destəni-lai(f)-kɑ:rmə-watevər]

발음심화학습

▶ destiny [dest(ə)ni] • 강세 없는 음절의 모음은 탈락되므로 2음절처럼 짧게 발음됩니다.

▶ life [lai(f)] • 1음절 단어이므로 3음절 [라이프]처럼 늘려서 발음하지 않도록 유의합니다.

Because believing that the dots will connect down the road
왜냐면 현재의 순간들이 미래에 연결될 거라고 믿는 것은

Chunk 발음분석

Be**cause** be**lieving** that the **dots** [bəkɔːz-bəliviŋ-ðə-dɑ(t)s]

will co**nnect down** the **road** [wəl-kənek(t)-dɑun-ðə-rou(d)]

발음심화학습

▶ believing [b(ə)liːviŋ] • 약음절의 모음은 [ə]로 약화되므로 [빌리빙]처럼 발음합니다.
▶ down [dɑ(u)n], road [rou(d)] • 영어에서는 이중모음 [au/ou]의 첫 번째 모음만 강하게 발성하고 나머지는 약하게 발음하므로 두 번째 모음은 잘 들리지 않습니다.

will give you the confidence to follow your heart,
여러분의 마음을 따를 수 있는 자신감을 가져다 줄 것입니다.

Chunk 발음분석

will **give** you the **confidence** [wəl-give-ju-ðə-kɑnfid(ə)ns]

to **follow** your **heart** [tu-fɑlou-juər-hɑːrt]

발음심화학습

▶ will [wə] • 모음이 약해져 [윌]보다는 [월]에 가깝게 짧고 약하게 발음합니다.
▶ heart [hɑːrt] • 끝자음은 음절의 받침소리로 발음합니다. 1음절이므로 2음절 [하트]처럼 늘려서 발음하지 않도록 유의합니다.

even when it leads you off the well-worn path.

비록 그것이 여러분을 포장이 되지 않은 험난한 길로 인도하더라도 말입니다.

Chunk 발음분석

even when it leads you [evn-wən-it-li:(d)z-ju]

off the well-worn path [ɔ:f-ðə-wel-wɔ:rn-pæθ]

발음심화학습

▶ leads you [li:(d)z-ju] • [d]와 [z] 발음이 중복되면 앞자음은 뒷자음에 동화되어 [리쥬]처럼 발음합니다.

▶ wh(e)n [wən] • 1음절 단어의 약모음은 약화되므로 [웬]보다 [원]처럼 발음됩니다.

▶ well-worn [wel-wɔ:rn] • [w]와 [r] 발음은 입술을 앞으로 둥글게 내밀어 발음합니다.

And that will make all the difference.

그리고 그 믿음은 큰 차이를 만들어낼 것입니다.

Chunk 발음분석

And that will make [æn(d)-(ð)æt-wil-meik]

all the difference [ɔ:l-ðə-difrəns]

발음심화학습

▶ and that [æn(d)-(ð)æt] • 대명사의 첫음 [ð]는 자주 탈락되므로 [앤넷]처럼 발음합니다.

▶ make [mei(k)] • 1음절 단어의 경우 끝자음이 무성자음으로 끝나면 모음은 짧게 순간적으로 발음합니다.

▶ difference [dif(ə)r(ə)ns], [dif'r'ns] • 약음절 모음은 약화되므로 강세음절의 모음을 제외한 모든 음절의 모음이 탈락되어 짧게 발음됩니다.

04주차 상실의 경험

저자 동영상 강의와 함께 학습하세요.

My second story is about love and loss.
두 번째 이야기는 사랑과 상실에 관한 것입니다.

Chunk 발음 분석

My **second story** [mai-sekən-stɔ:ri]

is a**bout love** and **loss** [iz-əbau(t)-lʌ(v)-æn(d)-lɔ:s]

발음 심화 학습

▶ second [sekən(d)] • 모음 앞의 [s]는 된소리로 경음화되어 [쎄껀]처럼 발음합니다.
▶ is about [izə-bau(t)] • 첫음절의 약모음은 앞단어에 붙여 [이즈바웃]처럼 발음됩니다.

I was lucky. I found what I loved to do early in life.
저는 운이 좋았습니다. 저는 제가 하고 싶은 것을 인생에서 일찍 발견했습니다.

Chunk 발음 분석

I was **lucky** [ai-wəz-lʌki]

I **found** what I **loved** to **do** [ai-faun(d)-wɑt-ai-lʌ(v)-tu-du]

early in **life** [ɜ:rli-in-lai(f)]

발음 심화 학습

▶ lucky [lʌki] • 강세가 없는 음절의 [p/k/t]는 된소리로 경음화되어 [러끼]처럼 발음됩니다.
▶ what I [wɑtai] • 약모음 앞의 [t/d]는 부드럽게 굴려서 [와라(이)]처럼 발음합니다.
▶ early in [ɛ:rli-in] • 단어의 끝이 모음으로 끝나고 다음 단어가 모음으로 시작하면 한 단어처럼 계속 이어서 발음합니다.

> **Woz and I started Apple in my parents' garage when I was 20.**
> 워즈니악과 저는 제 부모님의 차고에서 제가 20살 때 애플이라는 회사를 시작했습니다.

Chunk 발음분석

Woz and I started Apple [wəz-(ə)n(d)-ai-stɑrtid-æp(ə)l]

in my parents' garage [in-mai-peərən(t)s-g(ə)rɑʤ]

when I was 20 [wen-a-iwəz-tweni]

발음심화학습

▶ Woz and I [wəz'nai] • and는 모음이 축약되어 ['n]과 같이 [은]처럼 발음됩니다.
▶ parents [peərən(t)s] • 자음 3개가 연속으로 겹치면 가운데 자음의 발음은 생략됩니다.

> **We worked hard and in 10 years Apple had grown from just the two of us in a garage**
> 우린 열심히 일했고, 십 년 후에 애플은 차고에서 두 명으로 시작해서

Chunk 발음분석

We worked hard [wi-wɜːrkt-haːr(d)]

and in 10 years [æn-in-ten-jərz]

Apple had grown [æpəl-(h)æ(d)-groun]

from just the two of us in a garage [frəm-ʤʌs(t)-ðə-tu:-əv-əz-inə-gəra:ʤ]

발음심화학습

▶ had [(h)æ(d)] • 강세가 없는 약음절의 모음 앞 [h]는 탈락되어 [앧]처럼 발음됩니다.
▶ two of us in a [tu:əvəzinə] • 모든 기능어들을 내용어 two에 한꺼번에 붙여서 [투어버지너]처럼 한 덩어리로 발음합니다.

into a $2 billion company with over 4,000 employees.
4,000명이 넘는 직원을 거느린 20억불짜리 회사로 성장했습니다.

Chunk 발음분석

into a $2 billion company [intu-ə-tu:-biljən-dɑlə(r)-kʌpəni]

with over 4,000 employees [wið-ouvər-fɔ:(r)-θauzən-implɔi:z]

발음심화학습

▶ into [intu→indu] • [t]는 [d]로 약화되어 [인두]처럼 발음합니다.
▶ company [kʌmpəni] • 강세가 없는 약음절의 [p]는 된소리로 경음화되어 [컴뻐니]처럼 발음됩니다.

We just released our finest creation, the Macintosh, a year earlier
우리는 최고의 작품인 매킨토시를 29살에 출시했습니다.

Chunk 발음분석

We just released our finest creation [wi-jʌs(t)-rili:st-ɑ(r)-fainis(t)-krieiʃən]

the Macintosh a year earlier [ðə-mækintɑʃ-ə-jə(r)-ɛ:(r)liər]

발음심화학습

▶ just [ʤʌs(t)] • 단어의 끝자음은 음절의 받침소리로 발음됩니다. 1음절 단어이므로 3음절 [저스트]처럼 늘려서 발음하지 않도록 유의합니다.
▶ our [auər→ɑr] • 구어체에서 마치 [r]처럼 짧게 발음합니다. [아워]라고 발음하지 않습니다.
▶ finest [fainis(t)] • 단어의 끝자음은 음절의 받침소리로 [파이니슷]처럼 발음합니다.

and I just turned 30. And then I got fired

저는 막 서른 살이 되고 나서 해고당했습니다.

Chunk 발음분석

and I just turned 30 [æn(d)-a(i)-ʤʌs(t)-tɜ:rn-θɜ:rti]

And then I got fired [æn(d)-(ð)en-ai-gɑ(t)-faiər(d)]

발음심화학습

▶ and then [æn(d)-(ð)en] • 약모음 앞의 [ð]는 탈락되어 [앤넨]처럼 발음됩니다.
▶ fired [faiər(d)] • 이중모음, 삼중모음은 첫 번째 모음에 강세를 두고 나머지 모음은 약하게 발음합니다.

How can you get fired from a company you started?

어떻게 자기가 세운 회사에서 해고당할 수가 있을까요?

Chunk 발음분석

How can you get fired [hɑu-kən-ju-ge(t)-faiə(d)]

from a company you started? [frəm-ə-kʌmpəni-ju-stɑ:rti(d)]

발음심화학습

▶ can [kən] • 긍정의 의미로 사용될 때 [컨]처럼 약하게 발음됩니다.
▶ started [stɑ:rti(d)] • [st/sp/sk]의 [t/p/k]는 [스따릳]처럼 된소리로 발음됩니다.

> **Well, as Apple grew, we hired someone who I thought was very talented**
> 애플이 성장하면서 우리는 매우 유능해 보이는 사람을 채용했습니다.

Chunk 발음분석

Well, as **Apple grew** [wel-æz-æp(ə)l-gruː]

we **hired someone** [wi-haiər(d)-sʌmwən]

who **I thought** was **very talented** [huː-ai-θɔː(t)-wəz-veri-tæləntɪ(d)]

발음심화학습

▶ well [weəl] • 단어 끝에 나오는 [l]은 약모음 [ə]를 첨가하여 [웨얼]처럼 발음됩니다.
▶ apple [æp(ə)l] • 약음절의 [p/k/t]는 경음화되며 단어 끝 [l]은 약모음 [ə]를 넣어 [애쁠]처럼 발음합니다.

> **to run the company with me, and for the first year or so things went well.**
> 저와 함께 회사를 경영할 사람 말이죠. 처음 1년 정도는 모든 것이 순조로웠습니다.

Chunk 발음분석

to **run** the **company** with me [tu-rʌn-ðə-kʌmpəni-wɪθ-mi]

and for the **first year** or **so** [æn(d)-f(ə)r-ðə-fɜː(r)s(t)-jə(r)-(ə)r-sou]

things went well [θiŋz-wen(t)-wel]

발음심화학습

▶ company [kʌmpəni] • 강세 없는 약음절의 [p/k/t]는 된소리로 [컴뻐니]처럼 발음됩니다.
▶ went [wen(t)] • 혀 위치가 같은 발음 [l/n/d/t]가 중복될 경우 약음절에 속하는 자음은 생략됩니다.
▶ well [we(ə)l] • 단어 끝에 나오는 [l]은 약모음 [ə]를 살짝 첨가하여 [웨얼]처럼 발음합니다.

But then our visions of the future began to diverge

그러나 우리의 미래에 대한 비전은 어긋나기 시작했고

Chunk 발음분석

But **then** our **visions** of the **future** [bʌ(t)-ðen-ɑr-viʒənz-ə(v)-ðə-fjutʃə]

be**gan** to di**verge** [bigæn-du-daivɜ:rdʒ]

발음심화학습

▶ visions [viʒəns] • [ʒ]은 입모양을 주의합니다. 입술을 내밀어 나팔모양으로 만들고 성대를 울려 발성합니다. 입모양은 [ʃ]과 같지만 성대를 울리는 울림소리입니다.
▶ began to [bigændu] • 약음절에서 [t]는 [d]로 약해져 [비갠투]처럼 발음됩니다.

and eventually we had a falling-out.

결국 우리 둘 사이에 불화가 생겼습니다.

Chunk 발음분석

and e**ventually** we had a **falling-out** [æn(d)-ventʃuəli-wi-hæ(d)-ə-fɔ:liŋ-ɑu(t)]

발음심화학습

▶ eventually [ventʃu(ə)li] • 이중모음은 첫모음에 강세를 두고 두 번째 모음은 약하게 [이벤츄리]처럼 발음합니다.

When we did, our Board of Directors sided with him.

우리가 갈라서자, 회사의 이사진들은 그의 편을 들었습니다.

Chunk 발음분석

When we **did** [wən-wi-di(d)]

our **Board** of Di**rectors sided** with him [ɑr-bɔ:rə(v)-direktɜ:rz-saidi(d)-wiə-him]

발음심화학습

▶ when [wən] • 약음절의 모음은 약화되어 [웬]보다는 [원]에 가깝게 발음됩니다.
▶ ided [saidi(d)] • 강모음과 약모음 사이의 [t/d]는 플랩사운드로 [싸이릳]처럼 발음합니다.

And so at 30, I was out and very publicly out.

저는 30세에 쫓겨났습니다. 그것도 아주 공개적으로 말입니다.

Chunk 발음분석

And so at 30, I was out [æn(d)-sou-ə(t)-θɜː(r)ti-ai-wəz-ɑu(t)]

and very publicly out [æn(d)-veri-pʌblikəli-ɑu(t)]

발음심화학습

▶ at [ə(t)] • 모음이 약화되어 [엇]처럼 짧게 발음됩니다.
▶ publicly [pəblikəli] • 약음절의 [k/p/t]는 된소리로 [퍼블리끌리]처럼 발음합니다.

What had been the focus of my entire adult life was gone,

제 인생의 중심이 되었던 전부가 사라져 버렸고

Chunk 발음분석

What had been the focus of my [wɑt-(h)ə(d)-bin-ðə-foukəz-ə(v)-mai]

entire adult life was gone [intaiər-ədʌl(t)-laif-wəz-gɔːn]

발음심화학습

▶ What had been [wɑt-(h)ə(d)-bin] • [h]는 탈락되고 모음은 약화되어 [와러빈]처럼 발음합니다.
  ex must have been [mʌstəbin] [머쓰떠빈]
▶ focus of my [foukəz-ə(v)-mai] • 자음과 모음이 연음되어 [포커썹마이]처럼 발음됩니다.
▶ adult [ədʌl(t)] • 혀 위치가 동일한 발음 [l/n/d/t]가 중복되면 끝자음은 생략됩니다.

and it was devastating

정말 참담한 심정이었습니다.

Chunk 발음분석

and it was devastating [æn(d)-i(t)-wəz-devəsteitiŋ]

발음심화학습

▶ and it was [æn(d)i(t)wəz] • 약음절끼리 붙어서 한 덩어리로 [애니워(즈)]처럼 발음됩니다.

> **I really didn't know what to do for a few months.**
> 몇 개월 동안은 정말 뭘 해야 할지 아무것도 몰랐습니다.

Chunk 발음분석

I really didn't know [ai-ri:li-di(d)n'(t)-nou]

what to do [wa(t)-tu-du]

for a few months [fər-ə-fju-mʌn(θ)s]

발음심화학습

▶ what to [wa(t)-tu] • 동일한 발음이 중복되면 끝자음은 생략되어 [와투]처럼 하나만 발음합니다.
▶ for a few [fər-ə-fju] • 세 단어를 모두 붙여서 [풔퓨]처럼 한 덩어리로 발음됩니다.
▶ months [mʌn(θ)s] • 자음이 3개 겹치면 가운데 자음은 발음되지 않습니다.

> **I felt that I had let the previous generation of entrepreneurs down**
> 저는 기존 선배 벤처기업인들을 실망시켜 드렸다는 마음이 들었습니다.

Chunk 발음분석

I felt that I had [ai-fel(t)-ðæ(t)-ai-(h)æ(d)]

let the previous generation of [le(t)-ðə-priviəs-ʤenəreiʃn-ə(v)]

entrepreneurs down [ɑntr(ə)pr(ə)nu:ɜrz-daun]

발음심화학습

▶ generation of [ʤen(ə)reiʃn-ə(v)] • 약음절의 모음은 약화되고 전치사의 끝자음은 음절의 받침으로 [제느레이션업]처럼 짧게 발음됩니다.
▶ entrepreneurs [ɑntr(ə)-pr(ə)nu:ɜrz] • [tr] = [t] + [r]이 합쳐진 발음으로 [t]의 혀 위치와 [r]의 입모양을 동시에 발음합니다.

that I had dropped the baton as it was being passed to me
그리고 달리기 계주에서 제게 전달된 바통을 떨어뜨렸다는 생각이 들었습니다.

Chunk 발음분석

that I had **dropped** the ba**ton** [ðæ(t)-ɑi-(h)æ(d)-drɑp(t)-ðə-bətɑn]

as it was **being passed** to me [æz-i(t)-wəz-bi:ŋ-pæs(t)-tu-mi]

발음심화학습

▶ that I had [ðæ(t)-ɑi-(h)æ(d)] • 강모음과 약모음 사이의 [t]는 부드러운 플랩사운드로 [대라앤]처럼 발음합니다. [h]는 약모음 앞에서 자주 탈락됩니다.
▶ dropped the [drɑp(t)-ðə] • 조음위치가 유사한 발음 [d/ð]가 겹치면 앞단어의 끝자음은 발음편의상 생략됩니다.
▶ passed to [pæs(t)-tu] • 동일한 발음 [t]가 중복되어 끝자음이 생략되므로 [패스투]처럼 발음됩니다.

I met with David Packard and Bob Noyce
데이빗 패커드와 밥 노이스를 만났습니다.

Chunk 발음분석

I **met** with [ɑi-me(t)-wiə]

David Packard and **Bob Noyce** [deivi(d)-pækɜ:r(d)-(æ)n(d)-bɑ(b)-nous]

발음심화학습

▶ David Packard and [Deivi(d)-pækə:rd'n] • and는 축약되어 [n]만 발음됩니다.

and tried to apologize for screwing up so badly
그리고 이렇게 엉망으로 망쳐놓은 결과에 대해 사과하려고 했습니다.

Chunk 발음분석

and **tried** to a**pologize** [æn(d)-trai-tu-əpɑləʤaiz]

for **screwing up so badly** [fər-skru:iŋ-ʌ(p)-sou-bæ(d)li]

발음심화학습

▶ tried to [trai(d)-tu] • 혀 위치가 동일한 자음 [d/t]가 중복되어 끝자음을 생략하고 발음합니다.
▶ badly [bæ(d)li] • 2음절 [밸리]이므로 3음절 [배들리]처럼 발음하지 않도록 유의합니다.

I was a very public failure
저는 공공의 실패였습니다.

Chunk 발음분석

I was a **very public failure** [ai-wəz-ə-veri-pʌblik-feiljər]

발음심화학습

▶ I was a [ɑwəzə] • 약음절을 모두 뭉쳐 한 덩어리로 [아워저]처럼 짧게 발음합니다.

and I even thought about running away from the Valley
실리콘밸리에서 도망쳐 버리고 싶은 생각까지도 했습니다.

Chunk 발음분석

and I **even thought** a**bout** [æn(d)-ai-i:vən-θɔ:(t)-əbau(t)]

running away from the **Valley** [rʌniŋ-ə-wei-frʌm-ðə-væli]

발음심화학습

▶ thought about [θɔ:(t)ə-bɑu(t)], running away [rʌniŋə-wei]
첫음절의 약모음은 앞단어에 붙여 [떠러-바운], [뤄닝어—웨이]처럼 발음합니다.

But something slowly began to dawn on me.
그러나 제 맘속에 뭔가가 천천히 떠오르기 시작했습니다.

Chunk 발음분석

But **something slowly** [bʌ(t)-sʌmθiŋ-slouli]

be**gan** to **dawn** on me [bigæn-du-dɔ:n-ən-mi]

발음심화학습

▶ began to [bigæn-du] • 약음절의 [t]는 [d]로 자주 약화되어서 발음됩니다.
▶ dawn [dɔ:n] • [ɔ]는 [더언] 하고 입을 안쪽으로 크게 벌려 발음해야 합니다.

I still loved what I did.
전 여전히 제가 했던 일을 사랑했습니다.

Chunk 발음 분석

I still loved what I did [ai-stil-lʌ(v)-wɑ(t)-ai-di(d)]

발음심화학습

▶ still [stil] • 1음절 단어이므로 2음절 [스틸]처럼 발음하지 않도록 유의합니다.
▶ loved [lʌ(v)], did [di(d)] • 단어의 끝자음은 [럽], [딛]처럼 음절의 받침소리로 발음됩니다.
▶ what I [watai] • 강모음과 약모음 사이의 [t/d]는 약화되어 [와라이]처럼 플랩 되어 발음됩니다.

The turn of events at Apple had not changed that one bit.
애플에서 겪었던 일들조차도 그런 마음을 변화시키지 못했습니다.

Chunk 발음 분석

The turn of events at Apple [ðə-tɜːrn-əv-iven(t)s-æ(t)-æpəl]

had not changed that one bit [(h)æ(d)-nɑ(t)-tʃein(d)ʒ(d)-ðæ(t)-wʌn-bi(t)]

발음심화학습

▶ turn of events [tɜːrn-əvi-ven(t)s] • 2음절에 강세가 오는 단어는 1음절이 앞단어에 붙여서 [턴너비-벤쓰]처럼 발음됩니다.
▶ had [(h)æ(d)] • 1음절 단어에서 [h]는 약모음 앞에서 약화되어 자주 탈락됩니다.
▶ changed that [tʃein(d)ʒ(d)-ðæt] • 조음위치가 유사한 발음 [d/ð]가 겹치면 발음 편의상 앞단어의 끝자음 [d]를 생략합니다.

> **I had been rejected, but I was still in love.**
>
> 저는 거절당했지만, 여전히 사랑하고 있었습니다.

Chunk 발음분석

I had **been** re**jected** [ɑi-'d-bin-riʤekti(d)]

but I was **still** in **love** [bʌ(t)-ɑi-wə(z)-stil-in-lʌ(v)]

발음심화학습

- ▶ I had been [ɑi-'d-bin] • 조동사가 [hæd → 'd]으로 축약되어 [아읻빈]처럼 발음합니다.
- ▶ rejected [riʤekti(d)] • 약음절의 [k/p/t]는 된소리로 [리쮀띧]처럼 발음됩니다.
- ▶ but I was still [bʌt-ɑ(i)-wə(z)-stil] • 모든 음절을 연결하여 [버라워스띨]처럼 발음합니다.

> **And so I decided to start over.**
>
> 그래서 전 다시 시작하기로 결심했습니다.

Chunk 발음분석

And so I de**cided** to **start over** [æn(d)-sou-ɑi-disaidi(d)-tu-stɑ:r(t)-ouvər]

발음심화학습

- ▶ decided to [disaidi(t)-tu] • 강모음과 약모음 사이의 [t/d]는 플랩 되어 [디싸리투]처럼 발음합니다.
- ▶ start over [stɑ:rt-ouvər] • 앞단어의 끝자음과 뒷단어의 첫모음이 연음되어 [스따로버]처럼 발음됩니다.

05주차 사랑과 신념

저자 동영상 강의와 함께 학습하세요.

> **I didn't see it then,**
> 그때는 몰랐습니다.

Chunk 발음분석

I didn't see it then. [a(i)-d(i)(d)n(t)-si:-i(t)-ðen]

발음심화학습

▶ I didn't [ɑdin] • 모음은 약해지고 중복된 자음은 생략되어 [아린]처럼 발음됩니다.

> **but it turned out that getting fired from Apple**
> 하지만 애플에서 해고당한 것은

Chunk 발음분석

but it turned out that [bʌt-it-tɜ:rnd-au(t)-ðæt]

getting fired from Apple [getiŋ-faiər(d)-frəm-æpəl]

발음심화학습

▶ turned out [tɜ:rnd-ɑu(t)] • 앞단어의 끝자음과 뒷단어의 첫모음이 연음되어 [턴다웃]처럼 발음합니다.
▶ fired from [faiər(d)-frəm] • 앞단어의 끝자음은 약화되어 거의 들리지 않습니다.

was the best thing that could've ever happened to me.
저에게 일어날 수 있는 가장 최고의 일이었습니다.

Chunk 발음 분석

was the **best thing** that could've [wəz-ðə-bes(t)-θiŋ-ðæ(t)-kudv]

ever happened to me [evər-hæpən-du-mi]

발음 심화학습

▶ best thing [bes(t)-θiŋ] • 조음위치가 유사한 발음 [t/θ]가 중복되면 끝자음 [t] 발음은 생략되어 [베스띵]처럼 발음합니다.

▶ that could've [ðæ(t)-kudv] • 끝자음과 조동사의 모음이 약화되어 [대크릅]처럼 짧게 발음됩니다.

▶ happened to [hæpən(d)-du] • [t] 발음은 [d]로 약화되어 [해편두]처럼 발음합니다.

The heaviness of being successful was replaced by the lightness
성공에 대한 부담감은 가벼움으로 다시 바뀌었습니다.

Chunk 발음 분석

The **heaviness** of **being** su**ccessful** [ðə-heviniz-ə(v)-biŋ-sʌksesfəl]

was re**placed** by the **lightness** [wəz-ripleis(t)-bai-ðə-lai(t)nis]

발음 심화학습

▶ replaced by [ripleis(t)-bai] • 단어의 끝자음과 첫자음이 만나면 앞단어의 끝자음은 [리플레이스바이]처럼 약화되어 거의 발음되지 않습니다.

▶ lightness [lai(t)nis] • 2음절 단어이므로 5음절 [라이트니스]로 늘려서 발음하지 않도록 유의합니다.

of being a beginner again, less sure about everything.

다시 초심자가 되었고, 모든 것에 대해 조금 덜 확신하게 되었습니다.

Chunk 발음분석

of **being** a be**ginner again** [ə(v)-biŋ-ə-biginər-əgen]

less sure about **everything** [le(s)-ʃur-əbau(t)-ev(ə)riθiŋ]

발음심화학습

▶ of being [ə(v)-biŋ] • [v]와 [b]가 중복되면 편의상 [v]를 생략하고 [어빙]처럼 발음합니다.
▶ less sure [le(s)-ʃur] • 조음위치가 유사한 발음 [s/ʃ]가 중복되어 [s]는 생략되어 [레슈어]처럼 발음합니다.

It freed me to enter one of the most creative periods of my life.

그것은 저를 자유롭게 하여 제 인생에서 최고의 창의력을 발휘하는 시기로 들어갈 수 있게 해주었습니다.

Chunk 발음분석

It **freed** me to **enter one** of the [i(t)-fri:(d)-mi-du-en(t)ər-wʌn-ə(v)-ðə]

most creative periods of my **life** [mous(t)-krieiti(v)-piəri(d)z-ə(v)-mai-lai(f)]

발음심화학습

▶ enter [en(t)ər] • 혀 위치 같은 발음 [n/t]가 중복되어 [t]는 생략되고 [에너]처럼 발음됩니다.
▶ most [mous(t)] • 이중모음은 첫음절을 제외한 나머지는 약화되어 [모(우)슫]처럼 잘 들리지 않습니다.
▶ creative [krieiti(v)] • 강모음과 약모음 사이 [t]는 부드러운 플랩사운드가 되어 [크리에이맆]처럼 발음합니다. 2음절 단어이므로 두 번만 강하게 발음합니다.
▶ periods [piəri(d)z] • 조음위치가 유사한 발음 [d/z]가 중복되면 앞자음이 뒷자음에 동화됩니다.
  ex frein(d)s [프렌즈]   clo(th)es [클로(우)즈]   worl(d)s [워얼즈]   boar(d)s [보(에)즈]

> During the next five years, I started a company named NeXT,

그 다음 5년 동안, 저는 새로운 회사들을 만들었고, 그 이름은 넥스트와

Chunk 발음분석

During the **next five years** [duriŋ-ðə-neks(t)-fai(v)-jiərz]

I **started** a **company named NeXT** [a(i)-staːrtid-ə-kʌmpəni-neim(d)-nekst]

발음심화학습

▶ years [jiərz] • [j]는 입 양쪽을 바깥쪽으로 당기고 우리말 [이] 입모양으로 발음을 시작합니다.

▶ named next [neim(d)-nekst] • [d/n] 중복으로 [d]가 생략되어 [네임넥스(트)]처럼 발음합니다.

> another company named Pixar

픽사라고 불리는 회사입니다.

Chunk 발음분석

a**nother company named Pixar** [ənʌðə-kʌmpəni-neim(d)-piksɑːr]

발음심화학습

▶ company [kʌmpəni] • 약음절의 [p/k/t]는 된소리로 경음화되어 [컴뻐니]처럼 발음합니다.

> and fell in love with an amazing woman who would become my wife

그리고 지금 제 아내가 되어준 광장한 여자와 사랑에 빠졌습니다.

Chunk 발음분석

and **fell** in **love** with an a**mazing woman** [æn(d)-fel-in-lʌ(v)-wiθ-ən-əmeiziŋ-wumən]

who would be**come** my **wife** [hu-wu(d)-bikʌm-mɑ(i)-wai(f)]

발음심화학습

▶ love [lʌ(v)] • 1음절 단어이므로 2음절 [러브]처럼 늘려서 발음하지 않고 [럽]처럼 짧게 발음합니다.

▶ wife [wɑi(f)] • 이중모음은 첫모음에 강세가 있으며, 나머지는 짧고 약하게 발음합니다.

> **Pixar went on to create the world's first computer animated feature film, Toy Story**
>
> 픽사는 세계에서 첫 번째 컴퓨터 애니메이션 영화인 토이스토리를 만들었고,

Chunk 발음분석

Pixar went on to **create** the [piksa:r-wen(t)-ən-du-kriei(t)-ðə]

world's first com**puter** [wɜ:rl(d)z-fɜ:rs(t)-kəpjutər]

animated feature film [ænimeiti(d)-fi:tʃə(r)-fiə(l)m]

발음심화학습

▶ went on to [wen(t)-ən-du] • 혀 위치가 같은 발음 [n/t]가 중복되어 [t]는 생략되어 [웬언두]처럼 발음됩니다.

▶ world's [wɜ:rl(d)z] • [d]와 [z]가 겹치면 [d]는 생략되고 [월즈]처럼 [z]만 발음됩니다.

▶ film [fiə(l)m] • 단어의 끝 또는 끝자음 앞의 [l]은 약화되며 약모음이 첨가됩니다. 따라서 [필름]이 아니라 [삐엄]처럼 발음됩니다.

> **and is now the most successful animation studio in the world.**
>
> 지금은 세계에서 가장 성공적인 애니메이션 제작사가 되었습니다.

Chunk 발음분석

and is **now** the **most** su**ccessful** [æn(d)-iz-nau-ðə-mous(t)-sʌksesfəl]

animation studio in the **world** [ænimeiʃən-studiou-in-ðə-wɜ:rl(d)]

발음심화학습

▶ most [mous(t)] • 1음절 단어이므로 3음절 [모스트]처럼 늘려서 발음하지 않도록 유의합니다.

▶ studio [stu:diou] • [st/sp/sk]는 된소리로 경음화되므로 [스뚜디오]처럼 발음합니다.

▶ world [wɜ:rld] • 1음절 단어이므로 2음절 [월드]처럼 발음하지 않도록 유의합니다.

In a remarkable turn of events, Apple bought NeXT

이런 놀라운 일들 속에서, 애플사는 NeXT사를 인수하였습니다.

Chunk 발음분석

In a re**markable turn** of e**vents** [inə-rimɑːrkəbl-tɜːrn-əv-əven(t)s]

Apple bought NeXT [æpl-bɔː(t)-neks(t)]

발음심화학습

▶ remarkable [rimɑːrkəbl] • 약음절의 [p/k/t]는 된소리로 경음화되어 [리마꺼블]처럼 발음됩니다.
▶ trun of events [tɜːrn-əv-əven(t)s] • 끝자음과 첫모음이 연음되어 [터너버벤츠]처럼 발음합니다.
▶ apple [æpl] • 약음절의 [p]는 된소리로 경음화되므로 [애뻘]처럼 발음됩니다.
▶ bought [bɔː(t)] • [ɔː]는 입을 크게 벌려 [보온] 하고 여유 있게 발음해야 합니다.

and I retuned to Apple,

저는 애플로 복귀하였습니다.

Chunk 발음분석

and I re**tuned** to **Apple** [æn(d)-a(i)-ritɜːrn-du-æpl]

and the technology we developed at NeXT

그리고 넥스트에서 개발했던 기술은

Chunk 발음분석

and the tech**nology** [æn(d)-ðə-teknɑːlədʒi]

we de**veloped** at **NeXT** [wi-divelǝp-æt-neks(t)]

is at the heart of Apple's current renaissance

현재 애플의 부흥을 이룬 핵심이 되었습니다.

Chunk 발음분석

is at the **heart** [iz-æt-ðə-hɑːr(t)]

of **Apple's current renaissance** [əv-æpls-k3ːrənt-renəsɑːns]

발음심화학습

▶ heart [hɑːr(t)] • 1음절 단어이므로 2음절 [하트]처럼 늘려서 발음하지 않도록 유의합니다.
▶ current [k3ːrən(t)] • 혀 위치가 동일한 발음 [n/t]가 중복되어 [t] 발음은 생략됩니다.

And Laurene and I have a wonderful family together.

그리고 로렌과 저는 행복한 가정을 꾸리고 있습니다.

Chunk 발음분석

And Lau**rene** and **I** [ænd-ləriːn-æn(d)-ai]

have a **wonderful family** to**gether** [hæv-ə-wʌndərfl-fæməli-dugeðə(r)]

발음심화학습

▶ family [fæm(ə)li] • 3음절 단어이지만 약음절의 모음이 약해져 탈락되어 [패밀리 → 팸리]와 같이 2음절처럼 발음됩니다.
▶ together [dugeðə(r)] • [tu→du→'d] 약음절의 자음/모음이 약해져 [드게더]처럼 발음됩니다.

I'm pretty sure none of this would have happened

저는 이런 기쁜 일들 중 어떤 한 가지도 겪을 수도 없었을 거라고 확신합니다.

Chunk 발음분석

I'm **pretty sure** [a(i)'m-p(r)əti-ʃur]

none of **this** would have **happened** [nʌn-əv-ðiz-wud-(h)æv-hæpən(d)]

발음심화학습

▶ pretty [p(r)əti] • 약음절의 [r+모음]은 발음편의상 [r]은 생략되고 모음은 약화됩니다.
   ex sec<u>r</u>etary [sek(r)əteri] [세크테리]   labo<u>r</u>atory [læb(r)ətɔːri] [레버토리]
   p<u>r</u>efer [p(r)əfər] [퍼풔]

▶ sure [ʃur] • 발음기호 [ʃ]의 입모양은 [ʒ]와 같습니다. 단지, [ʃ]는 무성음, [ʒ]는 유성음이라는 점이 다릅니다.

▶ would have [wud-(h)əv] • have/had와 같은 조동사의 [h]는 약모음 앞에서 축약되어 자주 탈락되므로 [워럽]처럼 발음됩니다.

if I hadn't been fired from Apple

제가 애플에서 해고당하지 않았다면 말입니다.

Chunk 발음분석

if I **hadn't** been **fired** from **Apple** [if-ai-hædn(t)-bin-faiər(d)-frəm-æpl]

> It was awful tasting medicine, but I guess the patient needed it.

입에는 쓴 약이었지만, 제 생각에 환자에겐 필요한 것이었습니다.

Chunk 발음분석

It was **awful tasting medicine** [i(t)-wəz-ɔːfəl-teistiŋ-med(ə)sn]

but I **guess** the **patient needed** it [bʌta(i)-ges-ðə-peiʃən(t)-niːdidit]

발음심화학습

▶ tasting [teistiŋ] • 악음절의 [t/p/k]는 경음화되어 [테이스띵]처럼 된소리로 발음됩니다.
▶ medicine [med(ə)sn] • 악음절의 모음은 [ə]로 약화되어 [메러슨]처럼 발음됩니다.
▶ patient [peiʃən(t)] • 혀 위치가 동일한 자음 [n/t]가 중복되어 끝자음 [t]는 생략됩니다.
▶ needed it [niːdidit] • 악음절의 [d/t]는 플랩사운드로 부드럽게 [니리릳]처럼 발음됩니다.

> Sometimes life's gonna hit you in the head with a brick.

때때로 인생은 당신의 뒤통수를 벽돌로 내려치기도 합니다.

Chunk 발음분석

Sometimes life's gonna **hit** you [sʌmtaimz-laifs-gɔːnə-hit-ju]

in the **head** with a **brick** [in-ðə-he(d)-wiθ-ə-bri(k)]

발음심화학습

▶ hit you [hitʃu] • 앞단어의 끝자음과 뒷단어의 첫모음이 만나게 되면 연음되어 발음됩니다.

    [t]+[j] = [tʃ]   What's your name?
    [d]+[j] = [ʤ]   Did you see it?
    [s]+[j] = [ʃ]   Bless you!
    [z]+[j] = [ʒ]   How's your family?

▶ hea(d) [he(d)] • 1음절 단어이므로 2음절 [헤드]로 늘려 발음하지 않고 [헫]처럼 짧게 발음합니다.
▶ brick [bri(k)] • 1음절 단어이므로 2음절 [브릭]처럼 발음하지 않고 한 번에 짧게 발성합니다.

> **Don't lose faith.**
> 신념을 잃지 마십시오.

Chunk 발음 분석

Don't lose faith [doun(t)-lu:z-feiə]

> **I'm convinced that the only thing that kept me going**
> 저는 확신합니다. 제가 앞으로 나가도록 해준 유일한 힘은

Chunk 발음 분석

I'm con**vinced** [aim-kənvins(t)]

that the **only thing** [ðæ(t)-ði-ouni-θiŋ]

that **kept** me **going** [ðæ(t)-kep(t)-mi-gouiŋ]

발음심화학습

▶ convince(d) [kənvins(t)] • 2음절 단어이므로 4음절 [컨빈스트]처럼 늘려서 발음하지 않도록 유의합니다.
▶ kept me [kep(t)-mi] • 앞단어의 끝음절과 뒷단어의 첫음절이 만나면 끝음절은 거의 발음되지 않고 [켑미]처럼 발음합니다.

> **was that I loved what I did.**
> 제가 한 일을 사랑하는 것이라는 것을요.

Chunk 발음 분석

was that I **loved** what I **did** [wəz-(ð)æ(t)-ai-lʌv(d)-wat-ai-di(d)]

발음심화학습

▶ love(d) [lʌv(d)] • 1음절 단어이므로 [러브]가 아닌 [럽]처럼 짧게 발음합니다.
▶ did [di(d)] • 단어의 끝음은 음절의 받침소리로 [딛]처럼 1음절로 발음합니다.

You've got to find what you love
여러분은 사랑하는 일을 찾으셔야 합니다.

Chunk 발음 분석

You've **got** to **find** what **you love** [juv-ga(t)-tu-fain-wa(t)-ju-lʌ(v)]

발음 심화 학습

▶ got to [gɑ(t)-tu] • 동일발음 [t]의 중복으로 앞단어의 끝자음 [t]는 생략됩니다.
▶ find [fain(d)] • 혀 위치가 동일한 자음 [n/d]가 중복되어 [d]는 생략됩니다.

And that is as true for work as it is for your lovers.
그리고 그 사랑은 여러분이 사랑하는 사람만큼이나 진정한 것이어야만 합니다.

Chunk 발음 분석

And that is as **true** for **work** [æn(d)-(ð)æt-iz-æz-tru:-fər-w3:r(k)]

as it is for your **lovers** [æz-it-iz-fər-juər-lʌvə(r)z]

발음 심화 학습

▶ And that [æn(d)-(ð)æ(t)] • 혀 위치가 동일한 발음 [n/d]가 중복되어 [d]는 생략되고 약모음 앞의 [ð]가 탈락되면서 [앤낻]처럼 발음됩니다.
▶ as it is [æz-it-iz] • 1음절 단어들을 모두 붙여 [애지리즈]처럼 한 덩어리로 발음합니다.

Your work is gonna fill a large part of your life,
노동은 여러분의 인생에서 많은 부분을 차지하게 될 것입니다.

Chunk 발음 분석

Your **work** is gonna **fill** a [juər-w3:rk-iz-gənnə-fil-ə]

large part of your **life** [lɑ:rdʒ-pɑ:rt-ə(v)-jur-lai(f)]

발음 심화 학습

▶ part of your [pɑ:rt-ə(v)-jur] • [t]는 플랩사운드로 연음되어 [파르여]처럼 발음됩니다.

and the only way to be truly satisfied
그리고 진심으로 만족할 수 있는 오직 단 하나의 방법은

Chunk 발음분석

and the **only way** to be [æn(d)-ði-ouni-wei-du-bi]

truly satisfied [truli-sætisfai(d)]

발음심화학습

▶ way to be [wei-də-bi] • to는 [tu → du]로 약화되어 [웨이루비]처럼 발음됩니다.
▶ truly [truli] • 영어는 복자음을 자음 한 개처럼 취급하여 [츌리]처럼 2음절로 발음합니다.

is to do what you believe is great work
스스로가 위대하다고 믿고 있는 일을 하는 것입니다.

Chunk 발음분석

is to **do** [is-tu-du]

what you be**lieve** is **great work** [wat-ju-bəli:v-iz-greit-w3:rk]

발음심화학습

▶ believe [bəli:(v)] • 1음절의 모음이 약화되어 [벌립]처럼 2음절로 발음합니다.

And the only way to do great work is to love what you do.
그 대단한 일을 할 수 있는 유일한 방법은 여러분들이 하는 일을 사랑하는 것입니다.

Chunk 발음분석

And the **only way** to **do great work** [æn(d)-ði-ouni-wei-də-du-greit-w3:rk]

is to **love** what **you do** [iz-tu-lʌ(v)-wa(t)-ju-du]

발음심화학습

▶ love [lʌ(v)] • 1음절 단어이므로 [러브]가 아니라 [럽]처럼 짧게 발음합니다.

If you haven't found it yet, keep looking and don't settle.

만약 아직 사랑하는 일을 찾지 못했다면, 계속 찾고 현실에 안주하지 마십시오.

Chunk 발음분석

If you **haven't found** it **yet** [if-ju-hævn-faun(d)-i(t)-je(t)]

keep looking and **don't settle** [ki:(p)-lukiŋ-æn(d)-doun(t)-setl]

발음심화학습

▶ keep looking [ki:(p)-lukiŋ] • [p]는 음절의 받침소리, [k]는 약음절에서 된소리로 경음화되므로 [킵루낑]처럼 발음합니다.
▶ settle [setl] • 강모음과 약모음 사이의 [t]는 플랩사운드로 [쎄를]처럼 부드럽게 발음됩니다.

As with all matters of the heart, you'll know when you find it.

진심으로 원하는 일들이 모두 그런 것처럼 그것을 찾으면 알게 될 것입니다.

Chunk 발음분석

As with **all matters** of the **heart** [æz-it-ɔ:l-mætərz-ə(v)-ðə-hɑ:r(t)]

you'll **know** when you **find** it [juəl-nou-wen-ju-faind-it]

발음심화학습

▶ with [wiə] • 1음절 단어이므로 2음절 [위드]처럼 발음하지 않고 [윋]처럼 짧게발음합니다.
▶ find it [faind-it] • 앞단어의 끝자음과 뒷단어의 첫자음이 연음되어 [퐈인딭]처럼 발음됩니다.

And like any great relationship,

그리고 모든 훌륭한 관계가 그렇듯이,

Chunk 발음분석

And like **any great relationship** [æn(d)-lai(k)-eni-grei(t)-rileiʃnʃi(p)]

발음심화학습

▶ like [lai(k)], great [grei(t)] • 1음절 단어의 경우 [p/t/k]와 같은 무성자음으로 끝나면 모음을 매우 짧게 발음합니다.

it just gets better and better as the years roll on.

시간이 지날수록 점점 더 좋아질 것입니다.

Chunk 발음 분석

it just gets better and better [i(t)-dʒʌst-ge(t)s-betər-(æ)n(d)-betər]

as the years roll on [æz-ði-jiərz-roul-an]

발음 심화학습

▶ better and better [betər-(æ)n(d)-betər] • 접속사가 축약되어 [베러은베러]처럼 발음됩니다.

So keep looking. Don't settle.

그러니 계속 찾으십시오. 안주하지 마십시오.

Chunk 발음 분석

So keep looking [sou-ki:(p)-lukiŋ]

Don't settle [doun(t)-setl]

발음 심화학습

▶ keep looking [ki:(p)-lukiŋ] • 끝자음 [p]는 받침소리, [k]는 된소리로 [킵루낑]처럼 발음합니다.
▶ settle [setl] • 강모음과 약모음 사이의 [t]는 부드럽게 플랩 되면서 [쎄를]처럼 발음됩니다.

06 주차 죽음의 교훈
저자 동영상 강의와 함께 학습하세요.

My third story is about death.
제 세 번째 이야기는 죽음에 관한 것입니다.

Chunk 발음분석

My **third story** is a**bout death**. [mai-θ3:r(d)-stɔ:ri-iz-əbau(t)-de(θ)]

발음심화학습

▶ story [stɔ:ri] • [st]는 [스또리]처럼 강하게 된소리로 발음합니다.
▶ is about [iz-əbau(t)] • 약모음 [ə]가 거의 탈락되어 [이즈바운]처럼 발음됩니다.

When I was 17, I read a quote that went something like
제가 17살 때, 이런 구절을 읽은 적이 있습니다.

Chunk 발음분석

When I was **17** [wən-ai-wəz-sevnti:n]

I **read** a **quote** that went **something** like [ai-red-ə-kwou(t)-ðæt-wen(t)-sʌmθiŋ-laik]

발음심화학습

▶ when [wən] • 약음절의 모음이 약화되어 [웬]보다 [원]처럼 발음됩니다.
▶ was seventeen [wə(z)-sevnti:n] • 조음위치가 유사한 발음 [z/s]가 중복되어 [z] 발음은 생략됩니다.

"If you live each day as if it was your last,

만약 당신이 하루하루를 인생의 마지막 날인 것처럼 산다면.

Chunk 발음 분석

"If you **live each day** [if-ju-liv-i:tʃ-dei]

as if it was your **last** [æz-if-it-wəz-jur-læs(t)]

발음 심화 학습

▶ if you [ifju] • 앞단어의 끝자음과 뒷단어의 첫모음이 만나 연음되어 [이퓨]처럼 발음됩니다.
▶ live [liv] • 1음절 단어이므로 2음절 [리브]처럼 발음하지 않고 [립]처럼 짧게 발음합니다.
▶ as if it was your [æz-if-it-wəz-jur] • 모든 단어를 붙여서 [애지핀워줘]처럼 한 덩어리로 발음합니다.

someday you'll most certainly be right."

언젠가 당신은 옳은 사람이 될 것입니다.

Chunk 발음 분석

someday you'll **most certainly** be **right** [sʌmdei-ju'l-mous(t)-s3:rtnli-bi-rai(t)]

발음 심화 학습

▶ certainly [s3:rtnli] • [d/t/n...n]은 혀끝을 입천장에 댄 상태로 호흡을 멈추고 [은] 하고 콧소리로 발음합니다.

ex sudden [sʌdn → sʌd.n] 선은   sweeten [swi:tn → swi:t.n] 스윝은
Latin [laetn → laet.n] 랱은   mountain [mauntn → maun(t).n] 마운은

It made an impression on me

그 구절은 저에게 굉장히 인상적이었습니다.

Chunk 발음 분석

It **made** an im**pression** on me [it-meid-ən-impreʃən-ən-mi]

발음 심화 학습

▶ made [mei(d)] • 1음절 단어이므로 3음절 [메이드]처럼 늘려서 발음하지 않도록 유의합니다.

and since then, for the past 33 years,
그때부터 지금까지 33년 동안,

Chunk 발음 분석

and **since then** [æn(d)-sins-ðæn]

for the **past 33 years** [fər-ðə-pæs(t)-θ3:rtiθri:-jiərz]

I've looked in the mirror every morning and asked myself
매일 아침마다 거울을 보며 제 스스로에게 이렇게 물었습니다.

Chunk 발음 분석

I've **looked** in the **mirror every morning** [aiv-lukt-in-ðə-mirə(r)-evri-mɔ:rniŋ]

and **asked** my**self** [æn(d)-æs(k)(t)-maiself]

발음심화학습

- I've [aiv] • 끝자음은 받침소리로 발음되고 [v]는 아랫입술을 윗니로 살짝 깨물어서 짧게 [아입]처럼 발음합니다.
- looked in [lukt-in] • 약음절의 [t]는 된소리로 경음화되어 [룩띤]처럼 발음합니다.
- asked myself [æs(k)(t)-maiself] • 자음이 3개 이상 겹치면 중간자음은 편의상 발음되지 않습니다. 따라서 [애스마셀ㅍ]처럼 발음됩니다.

If today were the last day of my life
만약 오늘이 내 인생의 마지막 날이라면,

Chunk 발음 분석

If to**day** [i(f)-tudei]

were the **last day** of my **life** [wər-ðə-læs(t)-dei-ə(v)-ma(i)-lai(f)]

발음심화학습

- If today [i(f)-tudei] • if의 끝자음은 음절의 받침소리로 [입투데이]처럼 발음합니다.
- last day [læs(t)-dei] • 혀 위치가 같은 발음 [t/d]가 중복되므로 [t] 발음이 생략됩니다.
- of my life [ə(v)-ma(i)-lai(f)] • 모든 단어를 1음절씩 붙여서 [엄마랍]처럼 발음합니다.

> **would I want to do what I am about to do today?**
> 오늘 하려고 하는 일이 내가 진정으로 하고 싶은 일인가?

Chunk 발음분석

would I **want** to **do** [wud-a(i)-wɔːn(t)-tə-du]

what I am a**bout** to **do** to**day**? [wa(t)-a(i)m-əbau(t)-tu-du-tudei]

발음심화학습

▶ want to, about to • 단어의 끝자음과 첫자음의 동일발음이 중복되므로 하나씩 생략되어 [워너], [어바우투]처럼 발음됩니다.

> **And whenever the answer has been "No"**
> 그리고 만약 그 대답이 계속해서 "아니요"라고

Chunk 발음분석

And when**ever** [æn(d)-wenevə(r)]

the **answer** has been **"No"** [ði-ænsə(r)-hæz-bin-nou]

> **for too many days in a row,**
> 며칠 동안 계속해서 나온다면,

Chunk 발음분석

for **too** many **days** in a **row** [fər-tuː-meni-deiz-in-ə-rou]

발음심화학습

▶ 내용어의 강세법칙 • 부사(강)+형용사(약)+명사(강) → 리듬감을 강조하는 영어의 특징

ex It's a **really** short **nail**.

I know I need to change something.
저는 무언가 바꾸어야 한다는 것을 깨달았습니다.

Chunk 발음 분석

I **know** I **need** to **change something** [ai-nou-ai-ni:(d)-tʃeɪndʒ-sʌmθɪŋ]

발음심화학습

▶ I need to [ɑ-ni:-tu] • 이중모음은 첫모음만 강하게, 나머지는 짧고 약하게 발음합니다. 따라서 [아이]보다는 짧게 [아니투]처럼 발음됩니다.

Remembering that I'll be dead soon
언젠가 곧 죽을지도 모른다는 것을 기억하는 것은

Chunk 발음 분석

Re**membering** that I'll be **dead soon** [rimembəriŋ-ðæt-aəl-bi-de(d)-su:n]

발음심화학습

▶ dead [de(d)] • 끝자음은 음절의 받침소리로 들어가 [뎉]처럼 1음절로 짧게 발음됩니다.

is the most important tool I've ever encountered
지금까지 저에게는 가장 중요한 도구가 되고 있습니다.

Chunk 발음 분석

is the **most** im**portant tool** [iz-ðə-mous(t)-impɔ:rtn(t)-tu:(ə)l]

I've **ever** en**countered** [aiv-evər-inkaun(t)ə(r)d]

발음심화학습

▶ tool [tu:əl] • 단어의 끝에 오는 [L]은 약모음 [ə]를 살짝 넣어 [투얼]처럼 발음합니다.
▶ encountered [inkaun(t)ər(d)] • 발음위치가 같은 자음 [n/t]가 중복되어 [t]는 생략됩니다.

to help me make the big choices in life.

그리고, 인생에서 중요한 결정들을 해야 할 때 저를 도왔습니다.

Chunk 발음분석

to **help** me **make** the **big choices** in **life**. [tu-hel(p)-mi-mei(k)-ðə-bi(k)-tʃɔisiz-in-lai(f)]

발음심화학습

▶ help [he(ə)l(p)] • 단어의 끝이나 끝자음 앞에 오는 [L]은 발음을 완벽하게 하지 않고 약모음 [ə]를 첨가하여 [헤얼] 하고 뒷자음으로 넘어갑니다.

Because almost everything.

왜냐하면 거의 모든 것들.

Chunk 발음분석

Be**cause almost everything**. [bikɔ:z-ɔ:lmous(t)-evriθiŋ]

all external expectations, all pride, all fear of embarrassment or failure

모든 외부로부터의 기대, 각종 자존심과 자만심, 수치심과 실패에 대한 두려움.

Chunk 발음분석

all ex**ternal expectations**, all **pride** [ɔ:l-ikstɜ:rnəl-ekspekteiʃənz-ɔ:l-prai(d)]

all **fear** of em**barrassment** or **failure** [ɔ:l-fiər-ə(v)-imbærəsmən(t)-ər-feiljər]

발음심화학습

▶ expectation [ekspekteiʃən] • 3음절 이상의 단어는 강세가 두 군데 있으므로 제1강세와 제2강세 모두 강하게 발성해야 합니다.
▶ pride [prai(d)] • 1음절 단어이므로 4음절 [프라이드]처럼 늘려서 발음하지 않도록 유의합니다.
▶ fear of [fiər-ə(v)] • 앞단어 끝자음과 뒷단어 앞모음이 연음되어 [퓌어럽]처럼 발음됩니다.

these things just fall away in the face of death
이러한 것들이 '죽음'을 직면해서는 모두 떨어져나가고

Chunk 발음분석

these **things just fall away** [ði:z-θiŋz-dʒʌs(t)-fɔ:l-əwei]

in the **face** of **death** [in-ðə-feis-ə(v)-de(θ)]

발음심화학습

▶ away [əwei] • 강세를 받지 않는 첫음절의 모음은 앞단어에 붙여서 발음합니다.
   ex fall <u>a</u>way [fɔ:lə-wei]   stick <u>a</u>round [stikə-raund]   side <u>e</u>ffect [saidə-fekt]

leaving only what is truly important
오직 진실로 중요한 것들만 남기 때문입니다.

Chunk 발음분석

leaving only what is **truly** im**portant** [livi:ŋ-ounli-wat-iz-tru:li-impɔ:rtn(t)]

발음심화학습

▶ truly [tru:li] • [t]와 [r]을 붙여서 동시에 발음하며 [츄리]처럼 2음절로 발음합니다.
▶ important [impɔ:rtn(t)] • [t/d....n]의 발음은 호흡을 멈추었다가 [은] 하고 콧소리를 냅니다.
   ex impor<u>tan</u>t [임폴은]   swee<u>ten</u> [스윝은]   got<u>ten</u> [갇은]   ea<u>ten</u> [읻은]

Remembering that you are going to die
자신이 죽는다는 것을 기억하는 것은

Chunk 발음분석

Re**membering** that **you** are **going** to **die** [rimembəriŋ-ðæt-ju-a:r-gouing-du-dai] is the best way I know to avoid the trap of thinking you have something to lose.

여러분이 무언가 잃을 것이 있다고 생각하는 함정을 피할 최선의 방법입니다

Chunk 발음분석

is the **best way** I **know** [iz-ðə-bes(t)-wei-ai-nou]

to a**void** the **trap** of **thinking** [tu-əvoi(d)-ðə-træp-ə(v)-θiŋkiŋ]

you have **something** to **lose** [ju-hæ(v)-sʌmθiŋ-tu-lu:z]

발음심화학습

▶ best [bes(t)] • 1음절 단어이므로 3음절 [베스트]처럼 늘려서 발음하지 않도록 유의합니다.

▶ trap of thinking [træp-ə(v)-θiŋkiŋ] • 약음절의 [p/t/k]는 [츄래뻡띵낑]처럼 된소리로 경음화되어 발음됩니다.

▶ have [hæ(v)] • 1음절 단어이므로 2음절 [해브]처럼 발음하지 않고 [햅]처럼 짧게 발음합니다.

You are already naked.

여러분은 더 이상 잃을 것이 없습니다.

Chunk 발음분석

You are al**ready naked** [ju-a:r-ɔ:lredi-neiki(d)]

발음심화학습

▶ naked [neiki(d)] • 2음절 단어이므로 [네(이)킫]처럼 발음합니다. 4음절 [네이키드]로 늘려서 발음하지 않도록 유의합니다.

There is no reason not to follow your heart.

마음의 소리를 따르지 않을 이유가 없습니다.

Chunk 발음분석

There is **no reason** [ðer-iz-nou-ri:zn]

not to **follow** your **heart** [na(t)-tu-fɑ:lou-juər-hɑ:rt]

발음심화학습

▶ not to [na(t)-tu] • 동일 발음이 반복되면 발음 편의상 후속자음만 발음됩니다.

About a year ago I was diagnosed with cancer.

약 1년 전에 저는 암 진단을 받았습니다.

Chunk 발음분석

About a year ago [əbaut-ə-jiər-əgou]

I was diagnosed with cancer [a(i)-wəz-dai(ə)gnoust-wiθ-kænsə(r)]

I had a scan at 7:30 in the morning,

아침 7시 30분에 단층촬영 검사를 받았는데,

Chunk 발음분석

I had a scan at [ai-hæd-ə-skæn-æ(t)]

7:30 in the morning [sevn-θ3:rti-in-ðə-mɔ:rniŋ]

발음심화학습

▶ scan at [skæn-æt] • [sk/sp/st]는 된소리로 경음화되어 [스깨앤]처럼 발음합니다.

and it clearly showed a tumor on my pancreas.

제 췌장에 붙어 있는 종양이 똑똑히 보였습니다.

Chunk 발음분석

and it clearly showed a tumor [æn(d)-i(t)-kliərli-ʃoud-ə-tju:mər]

on my pancreas [ɔ:n-mai-pæŋkriəs]

발음심화학습

▶ showed a [ʃoud-ə] • 단어의 끝자음과 모음이 연음되어 [쇼(우)러]처럼 발음됩니다.

I didn't even know what a pancreas was.
저는 췌장이 무엇인지도 몰랐습니다.

Chunk 발음분석

I didn't even know [a(i)-d(i)(d)n(t)-i:vn-nou]

what a pancreas was [wat-ə-pæŋkriəs-wəz]

발음심화학습

▶ I didn't [a(i)-d(i)dn(t)] • [a-d(d)n] [adn] 첫모음을 제외한 나머지 모음은 약해져 탈락되고 동일한 자음이 중복되어 생략되므로 [아른]처럼 발음됩니다.

The doctors told me
의사들이 이렇게 말했습니다.

Chunk 발음분석

The doctors told me [ðə-da:ktə(r)z-toul(d)-mi]

발음심화학습

▶ told [toul(d)] • 혀 위치가 발음 [l/d]의 중복으로 [d] 발음이 생략되어 [토울]처럼 발음됩니다.

this was almost certainly a type of cancer that is incurable
이건 치료가 거의 불가능한 종류의 암이라고 했습니다.

Chunk 발음분석

this was almost [ðiz-wəz-ɔ:lmous(t)]

certainly a type of cancer [s3:r(t)nli-tai(p)-ə(v)-kænsə(r)]

that is incurable [ðæt-iz-inkjuərəbl]

발음심화학습

▶ almost certainly [ɔ:lmous(t)-s3:r(t)nli] • 자음이 3개가 겹치면 가운데 자음은 발음되지 않으므로 [올모썰은리]처럼 발음됩니다.

▶ type of [tai(p)-ə(v)] • 강세가 없는 약음절의 [p/k/t]는 된소리로 경음화되어 [타이뻡]처럼 발음됩니다.

and that I should expect to live no longer

그리고 더 이상 오래 살 수 있기를 기대하지 말라고 말했습니다.

Chunk 발음 분석

and that I should ex**pect** to **live** [æn(d)-ðæt-ai-ʃu(d)-ikspek(t)-tu-li(v)]

no longer [nou-lɔːŋgər]

발음 심화학습

▶ and that I should [æn(d)-ðæt-ai-ʃu(d)] • 모든 음절이 연결되어 [앤댓아슈]처럼 발음됩니다.

▶ expect to [ikspek(t)-tu] • 강세 없는 음절의 [p]는 된소리로, 같은 자음 중복으로 끝자음 [t]는 생략되어 [익스빽투]처럼 발음합니다.

▶ live [li(v)] • 2음절 [리브]처럼 발음하면 안 되고 [립]처럼 1음절로 짧게 발음합니다.

than three to six months

3개월에서 6개월이라고 했습니다.

Chunk 발음 분석

than **three** to **six months** [ðæn-θriː-tu-siks-mʌn(θ)s]

발음 심화학습

▶ months [mʌn(θ)s] • 조음위치가 유사한 무성음 [θ]와 [s]가 겹쳐 발음편의상 [θ]는 생략됩니다.

My doctor advised me to go home

제 주치의는 저에게 집으로 돌아가서

Chunk 발음 분석

My **doctor** [mai-dɑːktə(r)]

ad**vised** me to **go home** [ədvaiz(d)-mi-du-gou-houm]

발음 심화학습

▶ advised me to [ədvaiz(d)-mi-du] • 자음이 연속으로 3개 겹치면 중간자음은 생략되어 [얻바이즈미루] 처럼 발음됩니다.

and get my affairs in order,

주변정리를 하라고 조언했습니다.

Chunk 발음분석

and get my affairs in order [æn(d)-get-mai-əferz-in-ɔ:rdə(r)]

발음심화학습

▶ get [get] • 1음절 단어의 경우 무성자음으로 끝나면 모음의 길이가 매우 짧아집니다.

cf bi<u>t</u>-bi<u>d</u>   du<u>ck</u>-do<u>g</u>   ma<u>k</u>e-ma<u>d</u>e   hi<u>t</u>-hi<u>d</u>

which is doctor's code for 'prepare to die'.

그 말은 죽음을 준비하라는 의사들의 신호입니다.

Chunk 발음분석

which is **doctor's code** [wɪtʃ-iz-dɑ:ktə(r)z-koud]

for pre**pare** to **die** [fər-pərpeər-du-dai]

발음심화학습

▶ prepare [pərpeə(r)] • 강세가 없는 음절의 모음이 약화되어 [퍼페어]처럼 발음됩니다.

ex p<u>re</u>fer [prəfər → pərfər], p<u>re</u>pare [prɪper→pərpeə(r)], p<u>re</u>tty [prɪri → pəriri → p(ə)ri]

It means to try and tell your kids everything

그건 내 아이들에게 모든 것들을 다 얘기하라는 뜻이었습니다.

Chunk 발음분석

It **means** to **try** and [it-mi:nz-tu-trai-æn(d)]

tell your **kids everything** [tel-juər-kidz-evriθiŋ]

you thought you'd have the next 10 years to tell them
앞으로 10년 동안 아이들에게 들려줄 이야기를

Chunk 발음분석

you **thought** you'd **have** the [ju-θɔː(t)-ju'd-hæ(v)-ðə]

next 10 years to **tell** them [neks(t)-ten-jiərz-tu-tel-ðəm]

발음심화학습

▶ next ten [neks(t)-ten] • 동일한 자음이 중복되어 앞단어의 끝자음은 생략됩니다.
▶ tell them [tel-ðəm] • 약음절의 모음은 [ə]로 약화되어 [텔덤]처럼 발음됩니다.

in just a few months
불과 몇 달 동안 말이죠.

Chunk 발음분석

in **just** a **few months** [in-ʤʌst-ə-fju-mʌn(θ)s]

발음심화학습

▶ month [mʌn(θ)s] • 발음위치가 같거나 비슷할 때 앞자음은 뒷자음에 동화되어 거의 발음되지 않으며 [먼(ㅆ)]처럼 발음됩니다.
　　ex hea<u>lth</u> <u>s</u>ociety　　bo<u>th s</u>eem　　bir<u>ths</u>　　bo<u>th s</u>mile　　sou<u>th c</u>entral

It means to make sure everything is buttoned up
그건 모든 일을 깔끔하게 마무리 지으라는 뜻입니다.

Chunk 발음분석

It **means** to **make sure** [it-miːnz-tu-mei(k)-ʃur]

everything is **buttoned up** [evriθiŋ-iz-bʌtnd-ʌ(p)]

발음심화학습

▶ button [bʌtn] • [d/t/n.....n]의 형태는 [d/t/n]가 음절의 받침소리로 발음되고 호흡을 멈춘 후 콧소리로 [번은] 하고 발성합니다.
　　ex wi<u>d</u>en [와잍은]　　par<u>d</u>on [팥은]　　stu<u>d</u>ent [스튵은]　　woo<u>d</u>en [웉은]

so that it will be as easy as possible for your family

가족들이 가능한 편안하게 보낼 수 있도록 하라는 의미입니다.

Chunk 발음분석

so that it will **be** as **easy** as **possible** [sou-ðæt-wil-bi-əz-i:zi-əz-pɑ:səbl]

for your **family** [fər-juər-fæməli]

발음심화학습

▶ as~ as 용법의 경우 as를 앞단어에 붙여서 한 덩어리로 발음하므로 잘 들리지 않습니다.

ex twice as much as [twaisəz-mʌtʃəz]   half as much as [hæfəz-mʌtʃəz]

It means to say your goodbyes.

작별 인사를 하라는 것이었습니다.

Chunk 발음분석

It **means** to **say** your **goodbyes** [it-mi:nz-tu-sei-jur-gu(d)baiz]

I lived with that diagnosis all day.

저는 그 진단을 받고 하루를 보냈습니다.

Chunk 발음분석

I **lived** with **that diagnosis** all **day** [ai-li(vd)-wi(θ)-ðæ(t)-dai(ə)gnousis-ɔ:l-dei]

발음심화학습

▶ lived with that [liv(d)-wi(θ)-ðæ(t)] • 단어의 끝음은 약화되므로 [립위댇]처럼 첫음절에 강세를 주어 3음절로 짧게 발음합니다.

Later that evening I had a biopsy
그리고 그날 저녁 늦게 조직검사를 받았습니다.

Chunk 발음분석

Later that evening [leitə(r)-ðæt-i:vniŋ]

I had a biopsy [ai-hæd-ə-baiɑ:psi]

where they stuck an endoscope down my throat
의사들은 내시경을 제 목 아래로 넣어

Chunk 발음분석

where they stuck an endoscope [wer-ðei-stʌk-ən-endəskou(p)]

down my throat [daun-mai-θrou(t)]

발음심화학습

▶ stuck an endoscope [stʌk-ən-endəskou(p)] • [st]와 약음절의 [k/p/t]는 경음화되므로 [스떠껀엔도스꼬웁]처럼 발음됩니다.

through my stomach into my intestines
위와 장을 지나

Chunk 발음분석

through my stomach [θru:-mai-stʌmək]

into my intestines [indu-mai-intestinz]

발음심화학습

▶ into [intu-indu] • 약음절의 [t] 사운드는 [d]로 약화되어 [인두]처럼 발음됩니다.

> **put a needle into my pancreas and got a few cells from the tumor**
>
> 췌장 안에 바늘을 찔러 넣어 종양에서 몇 개의 세포를 떼어냈습니다.

Chunk 발음분석

put a needle into my pancreas [put-ə-ni:dl-indu-mai-pæŋkriəs]

and got a few cells from the tumor [æn(d)-gɑt-ə-fju-selz-frʌm-ðə-tju:mər]

발음심화학습

▶ put a needle [put-ə-ni:dl] • 약모음은 앞단어에 붙여 [푸러니럴]처럼 이어서 발음합니다.

▶ and got a [æn(d)-gɑt-ə] • 접속사 and와 관사 a는 got에 붙여서 [앤가러]처럼 한 덩어리로 발음합니다.

> **I was sedated, but my wife, who was there, told me**
>
> 저는 마취상태였지만, 그 자리에 있었던 제 아내가 나중에 말해주었습니다.

Chunk 발음분석

I was sedated [ai-waz-sideiti(d)]

but my wife, who was there [bʌt-mai-waif-hu-wəz-ðeər]

told me [toul(d)-mi]

발음심화학습

▶ was sedated [wa(z)-sideiti(d)] • 조음위치가 유사한 발음이 겹치면 앞단어의 끝자음은 편의상 생략되므로 [워시데(이)릳]처럼 발음됩니다.

▶ told me [toul(d)-mi] • 단어의 끝자음은 소리가 약화되어 [토(울)미]처럼 발음됩니다.

that when they viewed the cells under a microscope
의사들이 현미경에 대고 그 세포를 검사할 때

Chunk 발음분석

that when they **viewed** the **cells** [ðæt-wən-(ð)ei-vju:-ðə-selz]

under a **microscope** [ʌndər-ə-maikrəskou(p)]

발음심화학습

▶ that when they [ðæt-wən-(ð)ei] • [ð]는 약모음 앞에서 탈락되므로 [댇원네이]처럼 발음됩니다.

the doctors started crying
의사들이 울기 시작했다고 합니다.

Chunk 발음분석

the **doctors started crying** [ðə-daktərz-sta:rti(d)-krain]

발음심화학습

▶ started [sta:rti(d)] • [st/sp/sk]는 된소리로 경음화되어 [스따릳]처럼 발음합니다.

because it turned out to be a very rare form of pancreatic cancer
그것은 매우 희귀한 형태의 췌장암이어서

Chunk 발음분석

be**cause** it **turned out** to be a [bi-kɔ:z-it-tɜ:n-au(t)-tu-bi-ə]

very rare form of **pancreatic cancer** [veri-reər-fɔ:rm-ə(v)-pæŋkriæti(k)-kænsər]

발음심화학습

▶ pancreatic [pæŋkriæti(k)] • 약음절의 [d/t] 사운드는 플랩사운드로 약해져 [팬크리애릭]처럼 발음됩니다.

that is curable with surgery
수술로 치료 가능한 것으로 밝혀졌기 때문입니다.

Chunk 발음분석

that is **curable** with **surgery** [ðæt-iz-kjuərəbl-wiθ-sɛːʤ(ə)ri]

발음심화학습

▶ surgery [sɛːʤ(ə)ri] • 약음절의 모음은 약화되어 [써쥬리]처럼 거의 발음되지 않습니다.

I had the surgery and thankfully, I'm fine now.
저는 수술을 받았고, 고맙게도 지금은 괜찮습니다.

Chunk 발음분석

I **had** the **surgery** [ai-hæ(d)-ðə-sɛːʤ(ə)ri]

and **thankfully**, I'm **fine now** [æn(d)-θænfəli-a(m)-fai(n)-nau]

발음심화학습

▶ I'm fine [a(i)m-fai(n)] • 이중모음은 첫모음에 강세를 두어 [암퐈(인)]처럼 나머지는 약하게 발음합니다.

07주차 직관을 따르며

저자 동영상 강의와 함께 학습하세요.

This was the closest I've been to facing death,
이때가 제가 죽음을 가장 가까이 직면했던 때였습니다.

Chunk 발음분석

This was the **closest** [ðiz-wəz-ðə-klousis(t)]

I've **been** to **facing death** [ai(v)-bi:n-du-feisiŋ-deθ]

발음심화학습

▶ I've been to [ai(v)-bi:n-du] • 발음위치가 비슷한 자음이 겹칠 때 앞자음은 뒷자음에 동화되어 편의상 발음되지 않으므로 [압빈두]처럼 발음됩니다.

> **ex** I'(ve) been   o(b)vious   descri(be) very   mo(ve) back

and I hope it's the closest I get for a few more decades.
그리고 앞으로 수십 년간은 죽음에 그렇게 가까이 가고 싶지 않습니다.

Chunk 발음분석

and I **hope** it's the **closest I get** [æn(d)-ai-houp-iz-ðə-klousist-ai-ge(t)]

for a **few more decades** [fər-ə-fju-mɔ:r-dekeiz]

발음심화학습

▶ hope is the [houp-iz-ðə] • 약음절의 [p/k/t]은 된소리로 경음화되어 [호(우)삐즈더]처럼 발음됩니다.

Having lived through it, I can now say this to you
죽음의 고비를 넘기고 나니, 이제 여러분에게 이야기해 드릴 수 있습니다.

Chunk 발음분석

Having lived through it [hævin-liv(d)-θru:-it]

I can now say this to you [a(i)-k(ə)n-nau-sei-ðiz-tu-ju]

발음심화학습

▶ lived through [liv(d)-θru:] • 조음위치가 비슷한 발음이 겹칠 때 앞자음은 뒷자음에 동화되어 편의상 거의 발음되지 않습니다.

▶ can [k(ə)n] • 긍정의 뜻일 때 모음이 약화되어 [컨] 또는 [큰] 하고 짧게 발음합니다.

with a bit more certainty than
조금 더 확신을 가지고 말이죠.

Chunk 발음분석

with a bit more certainty than [wiθ-ə-bit-mɔːr-sɛːr(t)nti-ðən]

발음심화학습

▶ than [ðən] • 모음이 약화되어 [댄]보다는 짧게 [던]에 가깝게 발음합니다.

when death was a useful but purely intellectual concept.
죽음이 때론 유용하긴 하지만 순전히 지적인 개념이었을 때보다 말입니다.

Chunk 발음분석

when death was a useful [wən-deθ-wəz-ə-jusfl]

but purely intellectual concept [bʌt-pjuəli-intəlektʃuəl-kɑnsept]

발음심화학습

▶ intellectual [intəlektʃuəl] • 3음절 이상의 단어이며 강세가 두 군데 있으므로 모두 강하게 발음해야 합니다.

　　　ex ùnivérsity　　　Càlifórnia　　　ìnternátional　　　ìntelléctual

No one wants to die.

아무도 죽기를 원하지 않습니다.

Chunk 발음분석

No one wants to **die.** [nou-wʌn-wɔn(t)s-tu-dai]

발음심화학습

▶ wants [wɔn(t)s] • 자음 3개가 연속으로 중복되면 가운데 자음은 발음이 생략됩니다.

spor(t)s [스포ㅆ]　　than(k)s [땡ㅅ]　　cos(t)s [코ㅆ]　　gues(t)s [게ㅆ]　　mor(t)gage [모기쥐]

Even people who want to go to heaven don't want to die to get there.

심지어 천국에 가고픈 사람들도, 그곳에 가고자 죽기를 바라지는 않습니다.

Chunk 발음분석

Even people [ivn-pi:pl]

who **want** to **go** to **heaven** [hu-wɔn(t)-(t)u-gou-du-hevn]

don't **want** to **die** to get **there** [doun(t)-wɔn(t)-(t)u-dai-tu-ge(t)-ðeər]

발음심화학습

▶ people [pi:pl] • 약음절에서 [p, k, t]는 파열음이 약해지면서 [피쁠]처럼 된소리로 경음화됩니다.

　ex　ap<u>p</u>le [애쁠]　　peo<u>p</u>le [피쁠]　　ta<u>k</u>e it [테이낏]　　as<u>p</u>rin [애스쁘린]

And yet death is the destination we all share.

그러나 죽음은 우리 모두가 공유하는 인생의 종착역입니다.

Chunk 발음분석

And **yet** [æn(d)-jet]

death is the **destination** [deθ-iz-ðə-destəneiʃən]

we **all share** [wi-ɔ:l-ʃeər]

발음심화학습

▶ destination [destəneiʃən] • 4음절 단어이므로 6음절 [데스터네이션]처럼 발음하지 않고 [데(스)떠네(이)션]처럼 발음합니다.

No one has ever escaped it. And that is as it should be,

그 누구도 죽음을 피하지는 못했습니다. 그리고 그래야만 합니다.

Chunk 발음분석

No one has ever escaped it [nou-wʌn-(h)æz-evər-iskeipt-it]

And that is as it should be [æn(d)-ðæt-iz-æz-it-ʃu(d)-bi]

발음심화학습

▶ has [(h)æz] • 조동사 have의 [h]는 구어체 영어에서 축약되어 자주 탈락됩니다.
▶ And that is [æn(d)-(ð)æt-iz] • 조음위치가 같은 자음 [n/d]가 중복되어 끝자음이 생략되고 [ð]도 탈락되어 [앤냇이즈]처럼 발음됩니다.
▶ as it should be [æz-it-ʃu(d)-bi] • 모든 단어들을 붙여서 한 덩어리로 [애짓슈비]처럼 발음합니다.

because Death is very likely the single best invention of Life

왜냐면 죽음은 삶이 만들어낸 최고의 발명품이기 때문이죠.

Chunk 발음분석

because Death [bikɔ:z-deθ]

is very likely the [iz-veri-laikli-ðə]

single best invention of Life [siŋgl-bes(t)-invenʃən-ə(v)-lai(f)]

발음심화학습

▶ best [bes(t)] • 끝자음은 앞음절의 받침소리로 약화되어 [베슷]처럼 발음됩니다.

It's Life's change agent.

죽음은 인생을 변화시킵니다.

Chunk 발음분석

It's Life's change agent [its-laifs-tʃeindʒ-eidʒənt]

It clears out the old to make way for the new.
죽음은 새로운 것이 들어설 수 있도록 옛것을 처분합니다.

Chunk 발음분석

It clears out the old [it-kliərz-au(t)-ði-oul(d)]

to make way for the new [tu-meik-wei-fər-ðə-nu:]

발음심화학습

▶ out the old [au(t)-ði-oul(d)] • 조음위치가 비슷한 발음이 겹칠 경우 발음 편의상 끝나는 음절의 발음은 자주 생략됩니다.

▶ make [meik] • 끝자음이 [p/k/f/s/θ]와 같은 무성음으로 끝나는 1음절 단어는 모음이 매우 짧게 발음되므로 잘 들리지 않는 경우가 많습니다.

ex take   make   health   wipe   hope   think   but

Right now the new is you,
바로 지금, 새로운 존재는 여러분입니다.

Chunk 발음분석

Right now [rai(t)-nau]

the new is you [ðə-nu:-iz-ju]

발음심화학습

▶ right now [rai(t)-nau] • 혀 위치가 같은 발음 [t/n]가 중복되어 끝자음 [t]는 생략됩니다.

but someday not too long from now
그러나 지금부터 머지않은 가까운 미래에

Chunk 발음분석

but someday [bʌt-sʌmdei]

not too long from now [na(t)-tu:-lɔ:ŋ-frəm-nau]

발음심화학습

▶ not too [na(t)-tu:] • 같은 발음중복으로 끝자음이 생략되어 [나투]처럼 발음됩니다.

▶ from [frəm] • 영어에서는 복자음을 하나의 자음으로 취급하므로 [프럼]이 아니라 1음절처럼 짧게 발음해야 합니다.

you will gradually become the old and be cleared away

여러분들도 점점 옛 것이 될 것입니다. 그리고 사라지고 말겠죠.

Chunk 발음분석

you will **gradually** be**come** the **old** [ju-wil-græʤu(ə)li-bikʌm-ðəi-oul(d)]

and be **cleared** a**way** [æn(d)-bi-kliərd-əwei]

발음심화학습

▶ gradually [græ-ʤu(ə)-li] • 3음절 단어이므로 5음절 [그래쥬얼리]처럼 발음하지 않도록 유의합니다. 약음절의 모음은 탈락되어 음절이 단축되는 경우가 많습니다.
▶ cleared away [kliərd-əwei] • 약모음 [ə]로 시작하는 단어의 첫모음은 앞단어에 붙여서 발음되므로 [클리어더-웨이]처럼 들립니다.

Sorry to be so dramatic, but it is quite true.

너무 극단적으로 말씀드렸다면 죄송합니다. 하지만 그건 분명한 사실입니다.

Chunk 발음분석

Sorry to be **so dramatic** [sɑ:ri-du-bi-sou-drəmætik]

but it is **quite true** [bʌt-its-kwai(t)-tru:]

발음심화학습

▶ dramatic [drə-mæ-tik] • 3음절 단어이므로 4음절로 [드라마틱]처럼 발음하지 않도록 유의합니다. [dr]을 하나의 자음처럼 동시에 발음합니다.
▶ quite true [kwai(t)-tru:] • 동일한 자음이 중복되어 발음 편의상 끝자음 [t]가 생략됩니다.

> **Your time is limited, so don't waste it living someone else's life.**
>
> 여러분의 시간은 유한합니다. 그러므로 다른 사람의 인생을 사느라 시간을 낭비하지 마십시오.

Chunk 발음분석

Your time is limited [juər-taim-iz-limitid]

so don't waste it [sou-doun(t)-weist-it]

living someone else's life [liviŋ-sʌmwʌn-elsiz-lai(f)]

발음심화학습

▶ limited [li-mi-tid] • 약음절의 [d/t] 발음은 혀끝이 입천장을 스치는 플랩사운드이므로 [리미릳]처럼 부드럽게 발음합니다.

▶ waste it [weist-it] • 약음절의 [t/p/k]는 된소리로 경음화되어 [웨(이스)띧]처럼 발음됩니다.

> **Don't be trapped by dogma**
>
> 도그마의 덫에 빠지지 마십시오.

Chunk 발음분석

Don't be trapped by dogma [doun(t)-bi-træ(p)-bai-dɔgma]

발음심화학습

▶ trapped [træ(p)] • 1음절 단어이므로 [트랩]처럼 2음절로 늘려서 발음하지 않도록 유의합니다.

> **which is living with the results of other people's thinking.**
>
> 그것은 다른 사람들의 생각에서 나온 결론들에 얽매여 사는 것과 같습니다.

Chunk 발음분석

which is living with the results of [witʃ-iz-liviŋ-wiθ-ðə-rizʌl(t)z-ə(v)]

other people's thinking [ʌðər-pi:plz-θiŋkiŋ]

발음심화학습

▶ results of [rizʌl(t)z-ə(v)] • 앞단어의 끝자음과 뒷단어의 첫모음이 연음되어 [리절쩜]처럼 발음됩니다.

▶ people [pi:pl], thinking [θiŋkiŋ] • 강세가 없는 음절의 [p/k/t]는 된소리로 경음화되므로 [피쁠], [띵낑]처럼 발음됩니다.

　　ex apple [애플 → 애쁠]　　take it [테이킷 → 테이낏]

> Don't let the noise of other's opinions drown out your own inner voice.

다른 사람의 의견에서 나온 잡음이 여러분 내면의 소리를 압도하도록 두지 마십시오.

Chunk 발음분석

Don't let the **noise** of [doun(t)-le(t)-ðə-nɔiz-ə(v)]

other's opinions [ʌðərz-əpinjənz]

drown out your **own inner voice** [draun-au(t)-juər-oun-inər-vɔis]

발음심화학습

▶ Don't let the [doun(t)-le(t)-ðə] • 발음위치가 같은 자음 [l/n/d/t]가 중복되어 끝자음은 생략되고 조음 위치가 유사한 [t/ð]가 겹쳐 [t] 발음이 생략됩니다.

▶ noise of [nɔiz-ə(v)] • 전치사 of는 앞단어에 붙여서 [노이접]처럼 발음됩니다.

> And most important, have the courage to follow your heart and intuition.

가장 중요한 것은 여러분의 마음과 직관을 따르는 용기를 갖는 것입니다.

Chunk 발음분석

And **most** im**portant** [æn(d)-moust-impɔ:tn(t)]

have the **courage** to **follow** your **heart** [hæv-ðə-kɛ:riʤ-tu-falou-juər-hɑ:r(t)]

and **intuition** [æn(d)-intuiʃən]

발음심화학습

▶ intuition [intuiʃən] • 강세가 두 군데 있으므로 하나만 강하게 발음하지 않도록 유의합니다.

> **They somehow already know what you truly want to become.**
> 여러분의 마음과 직관이야말로 진정 무엇이 되길 원하는지 잘 알고 있기 때문입니다.

Chunk 발음분석

They somehow already know [ðei-sʌmhau-ɔːlredi-nou]

what you truly want to become [wɑt-ju-truli-wɑn(t)-tu-bikʌm]

발음심화학습

▶ already [ɔː(l)redi] • [l]과 [r] 발음이 연속되어 나올 경우 발음 편의상 [l]을 생략하고 [r] 발음으로 자연스럽게 넘어갑니다.

▶ truly [truli] • 2음절 단어이므로 3음절 [트룰리]가 아니라 [츌리]처럼 짧게 발음합니다.

> **Everything else is secondary.**
> 그 외의 모든 것들은 부차적인 것입니다.

Chunk 발음분석

Everything else is secondary [evriθiŋ-elz-i(z)-sekənderi]

발음심화학습

▶ is secondary [i(z)-sekənderi] • 조음위치가 비슷한 [z/s]가 중복되어 [z]는 [s]에 동화되어 거의 발음되지 않습니다.

08 주차 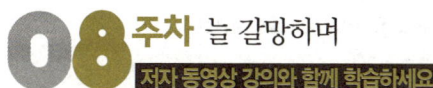 늘 갈망하며

저자 동영상 강의와 함께 학습하세요.

When I was young, there was an amazing publication

제가 어렸을 때, 대단한 출판물이 하나 있었습니다.

Chunk 발음분석

When I was young. [wən-ai-wəz-jʌŋ]

there was an amazing publication. [ðer-wəz-ən-əmeiziŋ-pʌblikeiʃən]

발음심화학습

▶ when [wən] • 1음절 접속사의 모음은 약화되어 [웬]보다 [원]에 가깝게 발음됩니다.

▶ there was an amazing [ðerwəzənə-meiziŋ] • 약음절끼리 모두 붙여서 [더워저너–메이징]처럼 발음됩니다.

called The Whole Earth Catalog,

그것은 "지구백과"라고 불렸습니다.

Chunk 발음분석

called the Whole Earth Catalog [kɔːl(d)-ðə-houl-ɜːrθ-kætəlɔːg]

발음심화학습

▶ Catalog [kætəlɔːg] • 약음절의 [d/t]는 플랩사운드로 [캐러럭]처럼 발음됩니다.

which was one of the bibles of my generation

저의 세대에게는 권위 있는 책들 중 하나였습니다.

Chunk 발음분석

which was one of the bibles [witʃ-wəz-wʌn-ə(v)-ðə-baiblz]

of my generation. [ə(v)-mai-ʤenəreiʃn]

발음심화학습

▶ of my [ə(v)-mai] • 단어의 끝음은 음절의 받침소리로 약화되어 [업마이]처럼 발음됩니다.

It was created by a fellow named Stewart Brand

그것은 Stewart Brand란 사람이 만들었습니다.

Chunk 발음분석

It was **created** by a [i(t)-waz-krieitid-by-ə]

fellow named Stewart Brand [felou-neim(d)-stu:ər(t)-bræn(d)]

not far from here in Menlo Park

그 사람은 여기서 멀지 않는 멜로 파크에 살았습니다.

Chunk 발음분석

not far from **here** in **Menlo Park** [nɑ(t)-fɑ:r-frəm-hiər-in-me(n)lou-pɑ:rk]

발음심화학습

▶ Menlo park [me(n)lou-pɑ:rk] • 조음위치가 같은 [l/n]이 중복되어 [n]이 생략되므로 [멜로]처럼 발음됩니다.

and he brought it to life with his poetic touch.

그는 자신의 시적인 감각으로 생명력을 불어 넣었습니다.

Chunk 발음분석

and he **brought** it to **life** [æn(d)-(h)i-brɔ:t-it-tu-lai(f)]

with his po**etic touch** [wiθ-(h)iz-pouetik-tʌtʃ]

발음심화학습

▶ and he [æn(d)-(h)i] • 약음절의 모음 앞에서 [h]는 탈락되어 [애니]처럼 발음됩니다.

This was in the late 1960's

1960년대 후반에 있었던 일입니다.

Chunk 발음분석

This was in the late 60's [ði-wəz-in-(ð)ə-lei(t)-sikstiz]

발음심화학습

▶ in the [in-(ð)ə] • 약모음 앞에서 [ð]는 탈락되므로 [인너]처럼 발음됩니다.

before personal computers and desktop publishing

그때는 개인 컴퓨터와 데스크톱 출판이 존재하기 전이었습니다.

Chunk 발음분석

before personal computers and [bəfɔː(r)-pɜːrsənl-kəmpjuːtə(r)z-(æ)n(d)]

desktop publishing [des(k)tɑ(p)-pʌbliʃiŋ]

발음심화학습

▶ desktop [des(k)tɑ(p)] • 자음이 연속으로 3개 이상 겹치면 중간자음은 생략되어 [데스탑]처럼 발음됩니다.
  - **ex** asked [æs(k)t]   drinks [drin(k)s]   empty [em(p)ti]   exactly [igzæk(t)li]

so it was all made with typewriters, scissors, and polaroid cameras.

그래서 그건 전부 타자기와 가위, 폴라로이드 카메라를 이용해 만들어졌습니다.

Chunk 발음분석

so it was all made with typewriters [sou-i(t)-wəz-ɔːl-mei(d)-wið-tai(p)raitə(r)z]

scissors, and polaroid cameras [sizərz-'n-poulərɔi(d)-kæmərəz]

발음심화학습

▶ scissors and [sizərz-'n] • 접속사 and는 [n]으로 축약되어 [씨저슨]처럼 발음됩니다.
▶ camera [kæm(ə)rə] • 약음절의 모음은 축약되어 [캠러]와 같이 2음절로 발음합니다.

It was sort of like Google in paperback form

그건 책 형태의 Google 같은 것이었습니다.

Chunk 발음분석

It was **sort** of like **Google** [i(t)-wəz-sɔ:rt-ə(v)-lai(k)-gu:gl]

in **paperback form** [in-peipə(r)bæ(k)-fɔrm]

발음심화학습

▶ google [gu:gl] • [u]는 목 부근에서 발성되는 후모음으로 [구글]이 아니라 [그글]처럼 발음합니다.
▶ paper [peipər] • 약음절의 [p]는 된소리로 발음되므로 [페이뻐]처럼 발음합니다.

35 years before Google came along

Google이 세상에 나오기 35년 전의 일이었습니다.

Chunk 발음분석

35 years be**fore Google came along** [θ3:rtifai(v)-jiərz-bəfɔ:(r)-gu:gl-keim-əlɔ:ŋ]

발음심화학습

▶ came along [keimə-lɔ:ŋ] • 첫모음을 앞단어에 붙여 [케임어-롱]처럼 발음합니다.

it was idealistic, overflowing with neat tools and great notions

그건 이상적인 사고들과 깔끔한 장치들, 기발한 아이디어들로 넘쳐흘렀습니다.

Chunk 발음분석

it was **idealistic** [i(t)-wəz-aidiəlistik]

overflowing with **neat tools** [ouvər-flouiŋ-wiθ-ni:(t)-tu:əlz]

and **great notions** [æn(d)-grei(t)-nouʃənz]

발음심화학습

▶ with [wiθ] • 2음절 [위드]로 발음하지 않고 [윗]처럼 1음절로 짧게 발음해야 합니다.
▶ tool [tu:(ə)l] • 단어의 끝에 오는 [l] 발음은 약모음 [ə]가 첨가되어 [투얼]처럼 발음됩니다.
▶ great [greit] • 1음절 단어이므로 4음절 [그레이트]처럼 발음하지 않도록 유의합니다.

Stewart and his team put out several issues of The Whole Earth Catalog

Stewart와 그의 팀은 'The Whole Earth Catalog'로 몇 번의 개정판을 내놓았고

Chunk 발음분석

Stewart and his **team** [stu:ərt-æn(d)-hiz-ti:m]

put out several issues [put-aut-sevrəl-iʃu:s]

of The **Whole Earth Catalog** [ə(v)-ðə-houl-ɜ:rθ-kætələ:g]

발음심화학습

▶ stewart [stu:ərt] • [st/sp/sk]는 경음화되어 [스뚜얼]처럼 된소리로 발음됩니다.
▶ Catalog [kæt(ə)lɔ:g] • 약음절의 모음은 약화되므로 [캐를럭]처럼 발음됩니다.

and then when it had run its course, they put out a final issue.

그리고 책의 수명이 다할 때쯤 최종 호를 출간했습니다.

Chunk 발음분석

and **then** when it had **run** its **course** [æn(d)-ðen-wən-it-hæ(d)-rʌn-i(t)s-kɔ:rs]

they **put out** a **final issue** [ðei-put-ə-fainəl-iʃu:]

발음심화학습

▶ had [hæ(d)] • 모든 단어의 끝음은 받침소리로 약화되어 [햇]처럼 발음합니다.
▶ its [i(t)s] • 조음위치가 유사한 [t/s/z/θ/ð]가 겹치면 발음편의상 앞자음이 생략됩니다.

It was the mid-1970s, and I was your age

이때가 1970년대 중반이었고 제가 여러분 나이였습니다.

Chunk 발음분석

It was the **mid-1970s** [i(t)-wəz-ðə-mi(d)-nainti:nsevntiz]

and I was **your age** [æn(d)-ai-waz-juər-eidʒ]

발음심화학습

▶ age [eidʒ] • [dʒ] = [d] + [ʒ]가 합쳐진 발음으로 두 가지 발음기호를 한 번에 발음해야 합니다.

On the back cover of their final issue

최종 호의 뒤표지에는

Chunk 발음분석

On the **back cover** [ɑn-ðə-bæ(k)-kʌvər]

of their **final issue** [ə(v)-ðeər-fain(ə)l-iʃu:]

발음심화학습

▶ issue [iʃu:] • [ʃ/ʒ]는 입술을 내밀어 둥글게 만들어 발음합니다. 입모양은 같지만 [ʃ]는 무성음이고 [ʒ]는 유성음이라는 점이 다릅니다.

was a photograph of an early morning country road

이른 아침의 시골길 사진이 있었습니다.

Chunk 발음분석

was a **photograph** [wəz-ə-foutougræf]

of an **early morning country road** [əv-ən-ɜ:rli-mɔ:rniŋ-kʌntri-roud]

발음심화학습

▶ photograph [foutougæf] • ph-는 [f] 발음이므로 [p]로 발음하지 않도록 유의합니다.
▶ country [kʌn-tri], road [roud] • 각각 2음절, 1음절 단어이므로 3음절 [컨츄리], 2음절 [로드]처럼 늘려서 발음하지 않도록 유의합니다.

the kind you might find yourself hitchhiking on
여러분 자신이 히치하이킹을 하고 싶다는 생각이 들 정도였습니다.

Chunk 발음 분석

the **kind** you might [ðə-kain(d)-ju-mait]

find your**self hitchhiking on** [fain(d)-juərself-hitʃhaikiŋ-ɑn]

발음심화학습

▶ kind you [kaind-ju] • 끝자음과 첫모음이 결합되어 [d + y = ʤ]로 바뀌고 [카인쥬]처럼 연음됩니다.

if you were so adventurous.
모험을 좋아하는 사람이라면 말이죠.

Chunk 발음 분석

if you were **so** ad**venturous** [if-ju-wə:r-sou-ədventʃərəs]

발음심화학습

▶ adventurous [əd-ventʃərəs] • 2음절에 강세를 받아 [언-벤츄러스]처럼 발음됩니다.

Beneath it were the words: "Stay Hungry. Stay Foolish."
사진 아래에는 이런 문구가 적혀 있습니다. 늘 갈망하십시오. 우직하게 전진하십시오.

Chunk 발음 분석

Be**neath** it were the **words** [bəni:θ-it-wə:r-ðə-wɜ:r(d)z]

Stay Hungry. Stay Foolish [stei-hʌngri-stei-fuliʃ]

발음심화학습

▶ beneath it [bəni:θ-it] • 약음절의 모음은 [ə]로 약해져 [버니띧]처럼 발음됩니다.

It was their farewell message as they signed off.

그들이 발행을 마치며 남긴 작별인사였습니다.

Chunk 발음분석

It was their **farewell message** [i(t)-wəz-ðer-feərwel-mesədʒ]

as they **signed off** [æz-ðei-saind-ɔ:f]

발음심화학습

▶ signed off [saind-ɔ:f] • 앞단어의 끝자음이 뒷단어의 첫모음과 연음되어 [싸인더f]처럼 발음됩니다.

"Stay Hungry. Stay Foolish"

늘 갈망하십시오. 우직하게 전진하십시오.

Chunk 발음분석

Stay Hungry. Stay Foolish [stei-hʌngri-stei-fuliʃ]

And I've always wished that for myself.

또한 저 스스로에게 항상 그렇게 살기를 바래 왔습니다.

Chunk 발음분석

And I've **always wished that** [æn(d)-ai(v)-ɔ:lweiz-wiʃ(t)-ðæ(t)]

for my**self** [fər-maisel(f)]

발음심화학습

▶ wished that [wiʃ(t)-ðæ(t)] • 조음위치가 유사한 발음 [t/ð]가 중복되어 [t] 발음이 생략됩니다.